o diabo que te carregue!

LIVROS DA AUTORA

HOJE ACORDEI GORDA
POR QUE OS HOMENS NÃO CORTAM AS UNHAS DOS PÉS?
ELE ME TROCOU POR UMA PORCA CHAUVINISTA
CIÚME, CHULÉ E UM APELIDO RIDÍCULO
SER MENINA É TUDO DE BOM!

STELLA FLORENCE

o diabo que te carregue!

UM ROMANCE SOBRE
SEPARAÇÃO EM FORMA
DE CRÔNICAS
CURTAS E GROSSAS

Rocco

Direitos desta edição reservados à
EDITORA ROCCO LTDA.
Avenida Presidente Wilson, 231, 8º andar
20030-021 – Rio de Janeiro, RJ
Tel.: (21) 3525-2000 – Fax: (21) 3525-2001
rocco@rocco.com.br
www.rocco.com.br

Printed in Brazil/Impresso no Brasil

capa
IZABEL BARRETO

ilustrações
MARIANA MASSARANI

fotos
CARLA BISPO

CIP-Brasil. Catalogação-na-fonte.
Sindicato Nacional dos Editores de Livros, RJ.

F653d Florence, Stella, 1967–
O diabo que te carregue!: um romance sobre separação em forma de crônicas curtas e grossas / Stella Florence. – Rio de Janeiro: Rocco, 2006.

ISBN 85-325-2013-8

1. Relação homem-mulher – Ficção. 2. Separação (Psicologia). 3. Divórcio – Ficção. 4. Mulheres – psicologia – Ficção. 5. Romance brasileiro. I. Título.

06-0043 CDD-869.93
CDU-821.134.3(81)-3

Para Eduardo Haak, com quem eu quero me casar – na próxima encarnação.

Eu hoje preciso fazer uso
da minha ignorância.
Quero ofender-te,
quero dizer-te tudo que és.

LUPICÍNIO RODRIGUES, "Minha ignorância".

AVISO PARA ANTES DO MERGULHO (E PARA DEPOIS TAMBÉM):

Esta mulher está se separando, exatamente agora. Você vai acompanhar, de dentro da cabeça dela, esse estranhíssimo período. Portanto, não espere que ela seja razoável, coerente ou justa. Ela está magoada e furiosa – e vai atirar para todos os lados, inclusive para si mesma. Ainda assim, ela caminha.

PREFÁCIO

Eduardo Haak c'est moi?

Rola uma sensação curiosa quando sabemos que um personagem de um livro foi baseado, ao que tudo indica, em nós. Digo isso com um certo conhecimento de causa – conhecimento sobre essa fascinante fronteira entre realidade e ficção. Antes de mais nada, porque escrevi, no ano passado, um romance chamado *Os indecentes*, do qual Stella Florence é uma das personagens principais. Embora eu tivesse motivos para supor que a conhecesse suficientemente bem – já que tivemos uma relação romântica que durou sete anos –, decidi que ela reescreveria como quisesse "suas" falas nos diálogos do meu livro e daria – ou não – o *nihil obstat* quanto à conduta da personagem que criei, nela inspirado. Sim, *Os indecentes* é rigorosamente uma obra ficcional, portanto se baseia em verossimilhança, não em fatos realmente ocorridos: "Se Stella fosse colocada nas situações narradas nesse livro, iria se comportar assim e dizer as coisas dessa forma?" era a pergunta-chave que me norteava durante o processo de escrita. E ninguém melhor do que a própria Stella para averbar se a conduta da *Stella* do meu livro estava de acordo com as inclinações, princípios e valores de Stella, ela própria.

O outro motivo que me faz ter um certo conhecimento de causa sobre a tal fronteira realidade/ficção é que "virei" um personagem deste livro de Stella Florence que está agora em suas mãos, caro leitor ou leitora. O quanto esse personagem é baseado em mim é, como veremos, uma questão razoavelmente controversa.

(...)

Mais ou menos um mês após o fim de nossa relação, Stella me contou que estava escrevendo um romance, provisoriamente intitulado *O diabo que te carregue!*, no qual discorria sobre o doloroso processo de nossa separação. Sim, Stella estava frustrada, decepcionada e desnorteada com o fato de que, a partir de um determinado ponto de nossa história em comum, não demos mais certo como casal. Eu experimentava, na ocasião, sentimentos muito parecidos com os dela e tentava me reestruturar pelos meios que estavam ao meu alcance. Claro, havia mágoas, havia rancores, havia sapos maldigeridos entre nós. Mas eu, basicamente, buscava me concentrar no sentimento de profundo carinho e amizade que sempre nutri por Stella – não era porque nossa relação homem/mulher tinha ido pro vinagre que eu ia deixar de me considerar um grande amigo dela, como sempre havia sido. Stella, porém, naquele primeiro momento – e por alguma razão pessoal –, escolheu-me como alvo de sua indignação e sua fúria. Sim, a tal pessoa que Stella desejava que fosse carregada pelo capeta era eu, Eduardo Haak. Eu, vejam só! Dei muita risada quando soube disso. Nunca lhe fiz – que eu saiba – nada de mau. Nosso rompimento se deu de comum acordo, sem que tenha havido sequer uma briga entre nós. Que pêlo em ovo ela haveria de escarafunchar para ir à forra comigo – ainda que apenas num âmbito literário?

Então Stella começou a ler pedaços do livro para mim. E notei, com uma dose de alívio – e outra de decepção, confesso –, que o tal ex que ela criara para a história, além de ser um personagem praticamente incidental, não tinha maiores singularidades que o caracterizassem para além do típico homem que puxou o carro de casa. Ou seja, o tal ex do livro tinha muito, muito pouco a ver comigo, com minha experiência individual ante aquela situação. Ele podia ser tanto eu, quanto qualquer outro sujeito recém-separado – alguém que, no meio da noite, junta meio de qualquer jeito suas coisas numa mala e pica a mula temporariamente para um flat qualquer da vida. Inversamente ao que ocorreu em meu romance, em que descrevi uma Stella Florence razoavelmente verossimilhante colocada numa situação imaginária, Stella escreveu um romance *à clef* razoavelmente fiel a certos fatos ocorridos consigo e, no mais, descomprometido quanto a pôr devidamente certos pingos nos is. Um enfoque ficcional, aliás, perfeitamente legítimo, além de coerente com o modo de ser de Stella, que costuma ser mais fiel a seus sentimentos sobre os fatos do que aos fatos em si. Há, entretanto, uma parte do livro em que me vi devidamente retratado (a qual, obviamente, não vou contar qual é). Esse trecho é muito perceptivo a meu respeito, ainda que parcial, pois ignora o contexto em que certas condutas minhas se deram. Mas essa é a voltagem do livro – um relato não lá muito ponderado e altamente emocional de uma mulher devastada por causa de um fracasso amoroso. É um ângulo da questão. Um ponto de vista que, definitivamente, não é o meu, o que me habilita dizer que não tenho – literal e metaforicamente – nada a ver com essa história. O que, no fundo, não faz muita diferença. O show, aqui (um puta show, aliás), é de Stella – essa exagerada, destemperada, impulsiva, engraçadíssima e talentosíssima escritora.

O resto é mera figuração de cena.

– Eduardo Haak

ABERTURA

O diabo que te carregue!

Esqueça o mundo cor-de-rosa da revista *Caras*. Esqueça as orientações politicamente corretas do seu homeopata. Esqueça as modelos que se declaram refeitas duas semanas após uma separação. Lacre todo esse papo furado dentro de uma garrafa, estanque o passo e me ouça: não existe separação amigável. Não existe, nunca existiu e jamais existirá. Não inveje quem diz o contrário nem se sinta diminuída na presença de uma mulher imediatamente amicíssima do ex, pois eu te digo, e te digo na frente de qualquer juiz: ela está mentindo.

Separação, na melhor das hipóteses, pode ser civilizada. É perfeitamente possível não espicaçar as roupas do seu ex com uma tesoura de costura, daquelas enormes que nos filmes de terror são o último recurso da mocinha para matar – sem que ela queira, sem que ela queira! – o bandido malvado. É também perfeitamente possível servir um copo de guaraná ao seu ex sem cuspir dentro dele, escondida na cozinha, só para mais tarde tremer de contentamento por tê-lo visto sorver de um só gole o líquido batizado. É igualmente possível não limpar a privada com aquele pincel de barba búlgaro que ele adora e que você escondeu no pote de alho antes de devolver. Sim, uma convivência civilizada, dentro de certos limites, é perfeitamente possível. Mas não confunda o verniz ralo da civilização com amizade. Amizade é um estado de relaxamento: você não precisa vigiar suas palavras na frente de um amigo, mas, na frente do ex-marido, até um ingênuo "vou dar um pulo na locadora" transforma-se no indício de que, se você tem dinheiro para alugar um DVD, também tem para pagar o colégio das crianças. O comentário mais simples se torna um origami pestilento após a separação: desdobra-se e desdobra-se e desdobra-se e nunca acaba de exalar seus pútridos odores.

É inevitável sentir raiva do seu ex, tanto quanto é inevitável chover em Ubatuba. Por mais que ele seja uma pessoa boa e blablablá, agora ele é um ex-marido e ex-maridos são feitos para ser, pelo menos nos primeiros meses da separação, no máximo, tolerados. Por isso, quando seu ex te ligar para saber das crianças, ceife o sorrisinho de boa moça da sua cara, pare de mentir para si mesma e, ao desligar o telefone, grite alto o bastante para que você possa ouvir o que só a você interessa: "Que o diabo te carregue, seu cretino!" Com exclamação, por favor. E muito bem pronunciado, fazendo as palavras arranharem a garganta. Depois você pode experimentar variações sobre o mesmo tema. Vá comer quiabo com tofu no meio do inferno! Vá fazer a barba com gilete enferrujada no vale do Belzebu! Vá arrancar os dentes com o dr. Mefisto! Nem sempre é necessário gritar, você pode sibilar, falar fininho e em falsete coisas como: por que você não morre? Ou então: o que você acha de eu despejar um tubo de Superbonder no seu pinto? Ou ainda: você já mascou seu fardo de capim hoje, meu bem?

A não ser que você já tenha alcançado as culminâncias da santidade, é importante assumir as raivas e mágoas que sente do seu ex. Sem admiti-las como filhas legítimas da sua dor, sem reconhecer-lhes a presença, sem olhar bem fundo nos seus olhos remelentos, elas nunca vão te deixar em paz. E paz é tudo o que se quer depois de uma separação.

1
Hamlet

Às vezes, realmente parece que as coisas não acontecem por acaso. Seu casamento vai mal, você quer se esquecer da sua tragédia particular com uma tragédia maior ainda e pega *Hamlet*, o clássico de Shakespeare, para se distrair. Mas, ao contrário do que esperava, tudo o que a leitura faz é te mergulhar mais fundo ainda nos seus problemas. Por quê?

Porque todos os homens são como Hamlet. Pelo menos em algum aspecto de suas vidas, normalmente o afetivo, são tal e qual Hamlet, o homem que não conseguia tomar uma decisão – sábias palavras proferidas na abertura do filme de Laurence Olivier, de 1947.

Um resumo da história: o rei da Dinamarca morre e sua viúva, toda assanhada, casa-se às pressas com o irmão dele. O fantasma do rei aparece diante do filho, Hamlet, e conta a verdade: ele foi assassinado por seu irmão, que lhe roubou a rainha e o trono. O fantasma exige vingança e Hamlet agora tem uma batata quente nas mãos. Eis o drama, em toscas pinceladas.

O príncipe dinamarquês tem inúmeras possibilidades à sua frente: vingar a morte do pai matando o tio assassino, voltar para a universidade, mudar-se para a Inglaterra ou qualquer outra parte do mundo, casar-se com Ofélia e cuidar da própria vida até que se transforme em rei. Mas, não. Ele não toma qualquer atitude e deixa sua vida ao sabor dos acontecimentos. As tragédias que se sucedem são fruto da reação (e não ação) de Hamlet a algo que simplesmente cai em seu colo. Ele tem o mérito de ponderar muito bem sobre tudo e o demérito de ponderar demais sobre tudo. Suas características fundamentais são: a liberdade de pensamento, de autocrítica, de consciência e a indecisão, a prorrogação das atitudes, a não-simplificação do mundo através das ações. Em bom português: atitude que é bom, nada. Hamlet é uma espécie de Zeca Pagodinho seiscentista: deixa a vida me levar, vida leva eu.

Você o compara com o seu marido, com todos os maridos do mundo e encontra muitas semelhanças. Os homens podem não amar mais sua esposa há tempos, podem ter outra mulher, podem até ter outra família, podem brigar por qualquer coisa, podem passar o tempo todo emburrados, podem ter desenvolvido uma úlcera, mas é ela, é a mulher quem decide se separar. É claro que existem exceções, mas, na maioria dos casos, homens protelam e mulheres decidem.

Por que os homens não têm coragem de terminar seus relacionamentos? Por que são tão determinados nos negócios e, em casa, se transformam em criaturas pusilânimes? Por que se acomodam, por que se acovardam, por que não se definem? E isso não acontece apenas em longos casamentos cujas raízes grossas são mais difíceis de cortar. Você, com certeza, já viu muito homem inventar as mais escalafobéticas desculpas só para se safar dos telefonemas de uma mulher com quem ele saiu uma única noite.

Você, como Ofélia, está sentindo os efeitos da indecisão do seu quase ex-marido bem dentro da sua vida, se arrastando – antes fossem apenas cinco atos! – qual lesmas por meses, anos a fio.

Você fecha o livro e respira fundo. Uma, duas, três vezes. Agora está bem claro que terá de ser você a malévola criatura que tomará a atitude de, finalmente, desentalar da garganta aquela temível palavra. A palavra separação.

2
O pior ainda não passou

Depois de um processo longo e doloroso, depois de idas e vindas malsucedidas, depois de madrugadas em claro, entre conversas duras e lágrimas ardidas, você resolve se separar – e ele aceita sua proposta sem qualquer resistência. Ao finalmente tomar a decisão (não mais uma possibilidade e, sim, uma decisão firme e resoluta), parece que o peso de um mastodonte saiu das suas costas. Ele ainda mora com você, as coisas dele ainda estão misturadas às suas, mas você acredita que o pior já passou.

Agora é o momento de tomar medidas práticas e a primeira delas é contar sobre a separação para as crianças, para a sua família e para a família dele.

Com as crianças basta, por agora, uma conversa delicada explicando que mamãe e papai não são mais namorados, que agora eles são amigos e que, por isso, papai vai morar em outra casa e que, mesmo papai morando em outra casa, ele estará sempre, sempre por perto. A idéia de que a casa do papai também será a casa deles e que, portanto, eles terão duas casas fica para mais tarde. Nada de fundir a cuca dos pequenos.

Com a sua família, você aproveita o almoço de aniversário da sua irmã e dá a notícia de uma só tacada. Essa é a terceira separação na família e você se serve da experiência que os processos anteriores deixaram. Seus pais e seus irmãos são discretos. Apesar de surpresos, lamentam o fato e não estendem mais o assunto, supondo, e supondo acertadamente, que não deve estar sendo fácil para você. Fazer perguntas seria revirar a ferida, inútil tortura.

Sim, é inútil os parentes estrebucharem ao saber de uma separação, pois quando um casal comunica o fato ele já passou, não só uma, mas várias vezes, por um longo caminho de pedras pontiagudas. Não há mais nada a fazer.

Sua mãe, porém, que já desconfiava do rumo dos acontecimentos, te puxa para a cozinha e pergunta se realmente você acha que essa é a melhor decisão a tomar. É a única, você responde. Ela abaixa a cabeça. Depois sorri sem graça, te dá um abraço e arremata: se é o melhor a fazer...

Falta a família dele, mas isso não te preocupa. Você os considera todos amigos, próximos, simpáticos, amáveis, esclarecidos. Certamente eles entenderão tudo muito bem. A casa da sua sogra sempre foi um porto seguro para você, um lugar onde você abria a geladeira, partilhava preocupações domésticas, levava as crianças para andar de bicicleta. Seu relacionamento com a família dele, muitas vezes, foi melhor do que o relacionamento com sua própria família, não haverá qualquer problema.

Mas seu agora ex chega em casa à noite dizendo que houve, sim, um problema. Seus cunhados não aceitam a separação e te chamaram de falsa para baixo, sua sogra acha que você tem outro, que é uma leviana que não leva em conta o interesse das crianças, seu sogro rugiu imprecações censuráveis e até a empregada soltou um "eu nunca fui com a cara dela".

Você passa dois minutos muda, olhando para a cara do seu ex, sem entender o que ele acabou de falar. Apenas processando, processando, processando. Então duas lágrimas gordas escorrem pelo seu rosto. E mais duas e mais duas e mais duas e você sente o chão se abrir sob os seus pés. Decepção, eis o nome. Decepção brutal. Punhais de aço cravados no seu peito, que se verga sob o impacto dos golpes. Duas horas depois você toma um Lexotan e consegue, ao menos, parar de chorar.

Não, a família dele não entendeu tudo muito bem, não foi simpática, nem amável, muito menos esclarecida. É preciso achar um culpado e você não faz mais parte da família. Você, portanto, é a culpada perfeita. Excomungada em milésimos de segundo. Não se iluda: eles não serão razoáveis. Você não é mais da família. E o pior ainda não passou.

3

Dedos lambuzados de frango

Na primeira manhã em que você acorda sem ele, você não sente nada. É um domingo. Você não estranha o silêncio, porque as crianças já acordaram. Você não estranha sua ausência, porque a ficha ainda não caiu. Você sequer estranha os armários vazios, porque não os abriu ainda. Antes que qualquer sensação negativa a alcance – você sabe, ela virá, mas por enquanto tudo é um estranho torpor –, você sente o desejo de ir à locadora pegar um DVD.

Nenhuma novidade: todo domingo você tem vontade de ir à locadora, porém, ele, seu ex, sempre criou empecilhos dando um suspiro, uma bufada, um tapa nos joelhos, revirando os olhos para cima, fazendo cara de nojo. Você queria que ele compartilhasse desse prazer ingênuo, só faria sentido se ele fosse com você, por isso insistia. E ele acabava indo – e tornando seu começo de domingo um aborrecimento. Aborrecimento mútuo. Errados, os dois: você, por insistir e ele, por ceder.

Domingo sempre foi um dia fadado à chateação: ele reclamava do almoço que nunca estava do seu agrado e você ficava magoada por ele assistir apenas aos dez primeiros minutos de qualquer filme que você tivesse alugado, para depois bufar "que porcaria" e sair da sala. Todos os domingos, invariavelmente, o ritual se repetia.

Mas naquele domingo você acordou sozinha. Não havia vontades outras a administrar – mesmo porque as crianças sempre amaram ir à locadora.

Você resolve, então, ir a pé e sai com eles na manhã ensolarada. Anda sem pressa, reparando nas casas, prédios, novos comércios e reformas da região. Como seu bairro é bonito! Há quanto tempo você só passava por ali de carro, com urgência, mesmo que não houvesse motivo para correr. Agora você tem a sensação de que se mudou para outro planeta, com um calendário próprio e mais tranqüilo: não há pressa, não há ninguém querendo almoçar ao meio-dia, ninguém esperando que você faça o almoço ou compre algo, ninguém para contentar, além de você e um par de crianças facilmente contentáveis.

Uma sensação de paz e plenitude a envolve, você quase pode ouvir alguma canção da Enya como a perfeita trilha sonora da sua manhã. E, pela primeira vez em muito tempo, você se sente feliz.

Passar mais de dez minutos procurando filmes na locadora sem que alguém fique emburrado e praguejando: você pode. Parar no shopping de descontos e fuçar alguns estandes enquanto as crianças brincam na piscina de bolinhas: você pode. Decidir, subitamente, almoçar frango de padaria, sem ter de ouvir seu ex dizer que não está a fim de comer aquela coisa engordurada: você pode.

Por que tudo, até a mais ínfima decisão, se torna um cavalo-de-batalha quando estamos casados? Por quê? Sim, você está reencontrando o prazer em coisas simples.

Então, um naco de culpa a atinge: você está feliz! Não deveria estar miserável, sofrendo, chorando? É, parece que sim, parece que o correto a fazer é se sentir mal, mas tudo o que você sente é um enorme alívio. Tem a impressão de que a dor virá, que ela a espera com dentes afiados na próxima esquina, mas o fato é que agora, no primeiro momento da separação, o que você sente é alívio e uma cálida alegria.

Com os dedos lambuzados de frango, você começa a rir sozinha. Seus filhos perguntam:

– Do que você está rindo, mãe?

E você se dá conta de que aquelas crianças não conviveram com a espontaneidade e a leveza de dedos lambuzados de frango. Então, que venha o que vier. O principal você e sua manhã de domingo já alcançaram: a confiança de que, sem sombra de dúvida, você fez a coisa certa.

4
Encaixotando a lixarada dele

Na primeira vez em que seu ex dormiu fora de casa, depois de decidida a separação, ele levou uma mochila com meia dúzia de roupas. Depois voltou e, desorganizadamente, foi jogando roupas, sapatos, documentos numa mala velha. Promete pegar o resto – e como esse homem deixou restos – numa outra oportunidade. É aí que você dança: passam-se os dias e a tal outra oportunidade não chega nunca. Se você quiser limpar a casa da presença dele – e você quer –, terá de arregaçar as mangas e encaixotar tudo você mesma – e é exatamente isso que você faz.

Ao esvaziar suas gavetas dentro de caixas de supermercado, você encontra dúzias de pacotes vazios de cigarros, isqueiros velhos, fitas cassete com títulos como *Os trouxas do Bubu* ou *Tupinambá Forever*, relatórios do primeiro escritório em que ele trabalhou, chaves de fenda de cores e tamanhos diferentes, todas imundas, duas tesourinhas enferrujadas e alguns nacos de unhas cortadas em priscas eras.

Você descobre, ao arrastar uma caixa repleta de discos de vinil do século passado, uma grossa, velha e nauseabunda camada de urina seca. Urina provavelmente da sua filha, quando ela estava tirando as fraldas e vivia a fazer xixi em todo o canto. Aquele cheiro te pega desprevenida (como quase tudo na separação) e entra nos seus pulmões como um soco. Aquilo é uma instalação pós-moderna representando o que havia por detrás do seu casamento: urina. Você se senta no meio da sala e xinga a faxineira que nunca arrastou aquela porcaria sequer para uma varredura, mas sua ira se dirige para o dono, mantenedor e usufrutuário daquele monte de tralha: o porco do seu ex-marido.

Separar CDs e livros é um drama: quantos livros dele você adora, quantos CDs dele foi você quem mais escutou? No entanto, para não criar caso, tudo cuja propriedade for dupla, incluindo os livros com dedicatórias para o casal, você põe na caixa dele. Vontade mesmo é rasgar a dedicatória e ficar com o livro, mas quanto menos ponto de atrito, melhor.

Depois de encaixotar sessenta e três revistas pornô da década de 80 (e suas capas amarelas e suas páginas grudentas), suas mãos, unhas, cutículas estão destruídas.

Com um rolo de fita crepe você lacra caixa a caixa e, mesmo reconhecendo três ou quatro itens interessantes nas coisas do seu ex, todo o resto não passa de um monte de lixo – que ele deixou para trás justamente por isso.

Após lhe enviar um aviso pelo celular, você transporta essas caixas todas para a portaria do seu prédio.

Uma delas, porém, cai em cima do seu dedão te premiando com uma unha roxa pelos próximos sete meses. É a promoção "Lembre-se desse dia por muito tempo, querida".

Você fecha a porta, exausta, mas ainda não acabou. Todos os lugares que foram desovados da presença do seu ex precisam de pano úmido, álcool e muque de estivador. Fios de roupa, cabelos, poeira, tudo que é resto do seu ex vai indo embora. Você se lembra do poema de Drummond: fica sempre um pouco de tudo, às vezes um botão, às vezes um rato. No seu caso ficou uma criação de ratazanas gordas cujos rabos grossos fazem barulho no silêncio da madrugada. Na noite escura da alma são sempre três horas da manhã, Scott Fitzgerald. Fitzgerald e Drummond caminham lado a lado numa alameda: é o delírio do cansaço. Você precisa dormir e relaxar o corpo. A alma, não tem jeito, continuará acesa em agitados pesadelos, tão rápidos e confusos que você nem conseguirá atinar sobre seus significados.

No dia seguinte, ao contemplar a casa limpa e silenciosa – as crianças foram dormir com ele –, você se dá conta de que a limpeza física não pôde organizar tudo. Realmente restou um rato, bem dentro de você.

5
Cabides esqueléticos

Enquanto lava a louça, você se lembra da piada do camponês com um bode dentro de casa. Na Rússia antiga, o camponês vivia num casebre paupérrimo, pequeno e desconfortável para os seus muitos filhos. Lá foi ele pedir ajuda ao czar que escutou os queixumes do mujique e decretou: não se preocupe, a solução chegará em dois dias. O camponês, não cabendo em si de contentamento, retirou-se do palácio e voltou para casa. Dois dias depois, lá veio uma carroça com um bode e as ordens do czar: o camponês estava obrigado a dividir a casa com o animal por período indeterminado. O mujique, sem nada entender, obedeceu à ordem real. E assim, os dias e as semanas foram se passando. O bode fedia, babava, soltava seus excrementos e flatos por toda a casa (que era minúscula), mascava o recheio dos colchões e os cabelos das crianças, um horror. Mas ninguém podia tirar o bicho de lá. Seis meses mais tarde os enviados do czar apareceram com uma nova mensagem para o camponês: "Neste dia, o czar cumpre sua promessa e, ao libertá-lo da obrigação de viver com o bode dentro de casa, torna suas condições de vida muito melhores." De fato, o camponês não só passou a achar sua casa maravilhosa, como até saudade sentiu do bode.

Ex-marido é um bode que foi embora e, apesar de não mais haver toalhas molhadas em cima da cama e sapatos chulezentos no meio da sala e xícaras de café nas estantes e cuecas rotas no chão do banheiro, estranhamente, você sente sua falta.

Logo após empacotar as coisas dele, limpar a casa, dispor os móveis em posições diferentes, mudar as fotos nos porta-retratos, você se depara com aquele vazio que te faz chorar ao abrir um armário e encontrar apenas dois ou três cabides esqueléticos deixados para trás. Cabides esqueléticos que só trazem medo, insegurança e dor.

Separar-se era o que você queria, então por que a herança física do seu ex (o armário vazio, a gaveta do banheiro vazia, as prateleiras vazias) te deixa tão mal? Como na piada, você se acostumou com o bode dentro de casa e agora sente sua falta. Ah, mas ele tinha qualidades, você pode dizer. Sim, qualidades todos têm, até o Bin Laden, mas de que te servem as qualidades do seu ex-marido? Se os defeitos dele não podem mais te ferir – pelo menos não mais o dia inteiro –, também suas qualidades não te acrescentam nada. Ele é simplesmente alguém que foi embora.

Uma das primeiras e mais lancinantes dores que existem após a separação é justamente essa: olhar para os espaços vazios em casa e sentir falta da presença física dele, do pé quente, da prontidão para ir à padaria, da conversa fiada ao ver TV. Pois é. Seria ótimo se houvesse uma pílula ou uma fórmula contra lágrimas indesejáveis defronte a uma cadeira vazia, mas não há. Também não adianta se concentrar nos defeitos do seu ex e fazê-lo parecer uma espécie de bode absoluto.

Parece não haver saída. Você olha e vê um beco onde tudo é maculado pelo bolor. Quem sabe, um dia, tudo, ou pelo menos quase tudo, possa ser razoavelmente purgado nesse beco escuro: a raiva, que é inevitável, e a saudade, tão inevitável quanto.

6
Coisas da vida

Você está na rua e encontra uma amiga da sua mãe. Depois dos cumprimentos formais, ela pergunta:

– E o marido, como vai?

O tempo quase pára, ganha outro ritmo, desenvolve-se em câmera lentíssima. Você fica olhando para ela, enquanto mais algumas fichas vão caindo na sua cabeça. As outras pessoas: elas não sabem que vocês se separaram. É natural que perguntem, é natural que fiquem constrangidas quando você disser a verdade, como também é natural que as mais enxeridas façam cara de pena e queiram saber o motivo da separação. Não, você não vai falar nem uma palavra a respeito. Vai deixar que os fofoqueiros e as fofoqueiras do mundo se encarreguem de espalhar a notícia, de tal maneira que você não tenha de confrontar nada nem ninguém. Já foi suficientemente doloroso se separar e agora você terá de reviver o drama a cada pessoa que encontrar? E ainda por cima dar satisfações quanto a intimidades que não dizem respeito a ninguém? Não, você não vai dizer nada. Mas não dizer nada é mentir, é passar adiante a idéia de que vocês ainda estão casados. É provável que chegue aos ouvidos do seu ex que você anda espalhando por aí que o casamento ainda está de pé. Então você precisa dizer a verdade. E se as pessoas forem insistentes, e se você perder a cabeça e mandá-las cuidarem da própria vida e se alguém entrar com uma interdição legal contra você, uma mulher que perdeu a sanidade e vem destratando qualquer pessoa que pergunte algo sobre a recente separação? Realmente é melhor dizer alguma coisa, algo breve, que force a pessoa a encerrar o assunto. Olhe no relógio antes de responder e diga: "Bem, eu tenho um compromisso, já estou atrasada, vou ao dentista, ao oftalmologista e ao otorrinolaringologista, eu me separei dele, acho que vai chover e eu estou sem guarda-chuva, preciso ir andando, adeus." Quem sabe assim, no meio de outras informações desimportantes, a pessoa só se dê conta da novidade quando chegar em casa e for tarde demais para perguntas indiscretas?

– Nós nos separamos – você diz. Sem atalhos, sem disfarces.

A amiga da sua mãe arregala os olhinhos castanhos, entreabre a boca, arqueia as sobrancelhas, junta as mãos gorduchas sobre o peito e pergunta, admirada:

– O que aconteceu?

Opção a: não é da sua conta. Opção b: não é da sua conta. Opção c: não é da sua conta.

Finalmente uma idéia brilhante a assalta:

– Coisas da vida.

Perfeito! Coisas da vida são coisas da vida que são coisas da vida – e se ela insistir você continua com a mesma ladainha.

Ela não insiste e você vai embora com a sensação de que descobriu a América.

Ao chegar em casa, você tenta encontrar uma maneira de abreviar esse constrangimento. A lâmpada se acende: mais uma idéia! Você prepara um e-mail para todos os seus contatos, todos mesmo, dizendo que você agora é uma mulher separada. Motivo? Sabe como é, são coisas da vida – que são coisas da vida que são coisas da vida...

7
Irremediavelmente sozinha

Terça-feira à noite. Sua filha está febril. Ela dorme, você não. Ao monitorar sua febre madrugada adentro, você pensa se liga ou não para o seu ex. É o primeiro episódio desse tipo desde a separação e ele deixou muito claro: "Se qualquer coisa acontecer com as crianças, me avise, em vinte minutos estarei aqui." Mas você é uma mulher adulta que pode muito bem cuidar da febre de uma criança sozinha.

São duas da manhã e sua filha começa a tremer. Você a acorda a fim de medicá-la, mesmo assim a tremedeira não passa, ao contrário, começa a se assemelhar a uma espécie de convulsão. Você pega o telefone e disca o número do celular do seu ex.

Sete chamadas depois ele atende aos berros.

– Alô!

Vozes e música ao fundo. Sem qualquer sombra de dúvida, ele está se divertindo em algum bar ou casa noturna. Você tenta avisá-lo sobre a febre, mas ele não escuta, as risadas e a música bate-estaca ao fundo estão muito altas. Você continua gritando na esperança de que ele te ouça ou, ao menos, que entre no banheiro onde deve haver um pouco menos de barulho, mas ele não faz isso. Sua voz se mistura ao próprio choro. Você desliga. Você pensa em mandar um torpedo, mas lembra-se de que o visor do celular dele está quebrado (pelo menos foi isso o que ele te disse outro dia). Não é possível contar com o seu ex.

Você deixa seu filho mais velho adormecido no quarto, avisa o porteiro, enfia uma calça de moletom, pega sua filha, a enrola num cobertor, desce para a garagem e voa até o pronto-socorro infantil mais próximo.

São três da manhã. Sua filha detesta médico, detesta exames na garganta, detesta fazer xixi em potinho, mas foi preciso fazer tudo isso e você, como pode, a mantém consolada em seus braços. Depois de receber os resultados dos exames, a pediatra diz se tratar de uma virose – o que significa que ela não faz a menor idéia do que sua filha tem. Só resta aguardar a evolução, provavelmente, de uma forte gripe. Nas próximas setenta e duas horas, apenas o antitérmico será suficiente.

São cinco da manhã e você dirige para casa. Sua filha dorme tranqüila, no banco de trás, e isso te enche de alívio.

Mas algo pesa nos seus ombros. Você é mãe e tem responsabilidades que inviabilizam fazer o que você bem entender na hora em que bem entender. Mas seu ex não. Ele agora é solteiro, absolutamente solteiro, impecavelmente solteiro. Ele voltou a ter a mesma vida que tinha antes de te conhecer; você, porém, jamais voltará. Ele está na balada enquanto você carrega os dezessete quilos da sua filha de lá para cá na madrugada do hospital infantil. Ele está livre para as delícias das mil e uma noites, enquanto você tem de escovar dentes de leite, contar histórias e impor castigos.

Seu ex reclama que é terrível ficar sem as crianças, mas será que ele gostaria de estar no seu lugar? Será que ele agüentaria o tranco de ser mãe vinte e quatro horas por dia? É muito cômodo ficar choramingando de saudade das crianças, ficar se fazendo de bom pai, enquanto se afasta de qualquer responsabilidade que não seja a financeira. Ele poderia ter imaginado que aquele telefonema fosse algo referente às crianças e ligado para comprovar. Se ele não ligou é porque telefonemas de madrugada já são coisas comuns, mulheres e mais mulheres devem importuná-lo pedindo uma segunda noite de amor que nunca virá. Ele voltou para os seus vinte anos e você é a intrusa agora.

Ao chegar em casa, você acomoda sua filha na cama, verifica se seu menino continua dormindo, pega uma aspirina, um copo de leite e desaba no sofá. Então, quando o dia começa a raiar lá fora e os prédios vão ganhando um contorno rosa-chumbo, você se dá conta de que está sozinha nessa parada. Irremediavelmente sozinha.

8
Um atrito maior ainda

Você era o tipo de mulher que, orgulhosa, estufava o peito e dizia: "Nunca briguei com meu marido." Você olhava com pena para as outras mulheres, as que se engalfinhavam com seus homens, as que ficavam dias sem falar com eles, as que tinham retumbantes brigas e retumbantes reconciliações. *Oh, coitadinhas*, você pensava, *que coisa chata viver nessa montanha-russa emocional.*

Vocês nunca brigaram. Seria realmente uma situação invejável, se essa ausência de atrito não escondesse um atrito maior ainda. O atrito do não-dito, do não-percebido, do não-admitido. O atrito das coisas que apodrecem sem o menor estardalhaço, o atrito silencioso de peças de espuma que se desencaixam, o atrito de pensamentos, intenções e gestos que não se encontram – e por não se encontrarem supõe-se que viviam em harmonia. Não, senhora. Harmonia pressupõe encontro – e houve algum entre você e o seu ex?

Você se lembra de um almoço de família, na casa da sua sogra, em que seu cunhado e a namorada só faltaram se estapear, tal a fúria da discussão que se seguiu a uma bobagem qualquer. Você olhava para o tal bate-boca como um bebê olha para uma equação matemática: aquilo era impenetrável para você, não fazia o menor sentido, você simplesmente não conseguia entender por que duas pessoas discutiam. Ora, duas pessoas discutem por um inegável motivo: porque estão próximas e fazem questão de chegar a um acordo. Mas, com o passar do tempo, conforme o encanto da paixão foi se esvaindo, você não fez mais questão de chegar a acordo nenhum com seu marido: se ele não queria te acompanhar ao show, você ia sozinha sem insistir; da mesma forma se você não queria ir ao jantar da Belinha, amiga de faculdade dele, ele também não tentava negociar sua presença, ficava acertado que cada um faria o seu programa separadamente. Nenhuma rusga, nenhum problema, nenhuma luta. Que isso aconteça de vez em quando, é muito saudável, mas sempre? O máximo de esforço para união entre vocês era o parto de alugar e assistir, juntos, a um vídeo no domingo – e nem mesmo isso dava certo!

Vocês eram dois cadáveres passeando numa alameda florida – a vida estava fora, não dentro de vocês. Os filhos, a casa, as viagens, tudo era tão perfeito que nem parecia de verdade. E não era. Mas vocês não sabiam, não tinham noção de que esses casais que reagem, que brigam, que se engalfinham, dia e noite, estão mais conectados do que vocês jamais estiveram.

Hoje você encontrou uma foto que escorregou de algum álbum e caiu dentro do porta-revistas. Nela vocês dois estão abraçados, sorrindo, um sorriso tão cândido que se poderia dizer feito de algodão-doce. Um casal perfeito, que nunca briga. Não, não brigar não é sinal de superioridade, não é sinal de harmonia, muito menos de entendimento. Não brigar pode ser simplesmente o selo de uma carta. De uma carta de morte.

9
Separação-Medusa

Quando você via essa situação retratada em filmes, costumava achá-la absurda: uma mulher que se recusa a se entregar à paixão por um certo homem, um homem que a atrai, um homem que está plenamente disponível e interessado nela. A mulher resistia e você levantava os olhos aos céus: que bobagem! Agora, depois da separação, isso não lhe parece mais tão estranho.

Você olha para os casais enamorados nas ruas e sente apenas uma sombria desconfiança, um misericordioso dó, uma lembrança de que esse estado é apenas o primeiro degrau da dor maior que um dia chegará. Certamente chegará.

Para você, existem dois tipos de casais: os que ainda não chegaram ao ponto da dor, mas vão chegar; e os que simplesmente desistiram da vida e por isso permanecem casados. Os primeiros ainda vão morrer, os segundos, já estão mortos.

Também existem apenas dois tipos de separados: os que não querem encarar a verdade e tentam se enganar com um outro relacionamento, que fatalmente acabará em mais dor, e os que olharam para a separação-Medusa e se transformaram em pedra.

Você se transformou em pedra.

Você carrega uma tatuagem invisível no corpo: paixão causa dor. Essa tatuagem foi, aos poucos, te ressecando, até que, no último golpe, parece ter deixado todo o mundo em branco e preto. Você não acredita mais. Foi-se a ingenuidade. Foi-se a ilusão. Foi-se a possibilidade de se maravilhar com algo.

Não, a vida não é colorida nem graciosa. A vida é uma velha corcunda, com dentes carcomidos, cabelos empastelados escorrendo pelos ombros, mãos deformadas pela artrite, unhas dos pés tomadas por micoses e uma camada de fungos impossível de ser retirada.

De vez em quando, a velha sorri, e, por um instante, você vê um brilho difuso nos olhos dela, muito azuis. Há pessoas que passam o tempo concentradas nesse brilho diminuto dos olhos azuis da vida e, assim, ignoram todo o resto. Ou desejam ignorar. E desejam tão ardentemente que conseguem.

Outras pessoas, como você, foram, de forma brutal, retiradas dessa hipnose e puderam ver a vida como ela realmente é. Não convém se aproximar. Para se proteger do seu olhar enfeitiçado, você tornou tudo preto e branco. Não há mais cor no mundo, portanto, é impossível ser mais uma vez enganada pelo azul dos olhos remelentos da vida. Você não sente mais nada. Há algum conforto em não sentir nada, embora esse estado se assemelhe à própria morte.

Se te perguntarem o que é o amor, você só conseguirá dizer: o amor romântico é podre, é pestilento, é piche, é pus. Esse amor, um fruto doce a princípio, é, na verdade, puro veneno. Pois deu certo. A dose foi tão alta que você não sente mais nada, você morreu.

Ao contrário de infinitos zumbis sacolejando-se aparentemente felizes pelas ruas, pelo menos você sabe que está morta.

10
Inveja

O desconforto. É inevitável: um dia você vai sentir o desconforto. Ele aparecerá quando você for buscar seu filho na casa de um amiguinho e encontrar, para seu desespero, uma família jantando. Pior do que uma família jantando só uma família jantando em total estado de entrega, relaxamento e interação, de tal maneira que a felicidade não pareça vir de um comercial de margarina, mas de uma genuína intimidade.

Existem casais cujas aparências não enganam, até uma toupeira poderia ver que aquela paz é falsa, é mantida a fórceps para inglês ver. Contudo, um dia, você dá o azar supremo e topa com uma família realmente feliz.

Então você pára e sente o desconforto. Deseja sair logo dali. "Não quer jantar conosco?" Não, obrigada. Deixei o ferro ligado. Deixei um gambá assando no forno. Deixei as pitombas da parafuseta esperando por mim, não posso ficar nem um instante.

Enquanto você calça os sapatos no seu filho, o ar saturado de carinho a sufoca. Você precisa sair dali, urgente. Encarna um sorriso falso no rosto e arrasta seu filho para fora como quem tem de tirar o pai da forca, a mãe da guilhotina e o jantar da encruzilhada preta.

Ao fechar a porta do elevador, você suspira fundo: alívio. Sacode a cabeça para afastar aquela sensação horrível de que a felicidade a dois existe e que não mora – talvez nunca tenha morado – na sua casa.

A suposição de que todos os casais do mundo estão vivendo relacionamentos frustrantes e sufocantes, antes te deixava calma, até satisfeita, afinal, você pertence ao grupo dos que tiveram a coragem de mudar uma situação patética. Mas ao constatar que há falhas na sua teoria, ao ver que existem casais felizes e vivendo bem, sem mutilações, sem dor, sem angústia, sua doutrina vai por água abaixo – e seu torpe bem-estar também.

Porque não há nada mais desconcertante para uma recém-separada do que um casal feliz. Não é uma questão de inveja apenas, é uma sensação de fracasso. Como eles conseguem? E, sobretudo, como eles conseguem e você não?

Uma réstia de maldade faz você reagir com o seguinte raciocínio: eu também já fui feliz assim um dia, durante um pequeno período, fui. Essa felicidade é uma questão de tempo, a diferença entre mim e eles é que eu fui mais adiante, eles ainda vão passar por todos os transes doloridos de uma relação a dois. Sim, é só uma questão de tempo e eles estarão iguais a mim.

Supondo-se salva, você se descuida, faz as contas e

vê que eles estão casados há mais tempo do que você esteve. Alguma coisa na sua teoria não se encaixa, mais uma vez.

Você chega em casa onde nenhum gambá assado te espera. Ao abrir a porta, você encontra uma casa vazia, sem calor, sem uma relaxada intimidade, sem uma perna cabeluda para você se enroscar à noite. E o fato de que existem, sim, lares aquecidos por essa compreensão e conforto e alegria e desejo, te deixa pior ainda.

Depois de uma separação, há que se esperar um tempo, um delicado tempo, até poder encarar a felicidade alheia sem que as tripas se revirem no estômago. Tudo bem. Isso não acontece só com você.

11
Nada passa

Onze da noite. Toca o telefone. É uma amiga, arrasada depois de um encontro que deveria ter sido bom.

– O que aconteceu?

– Ele estava uma pedra de gelo. Só faltou me chutar pra fora da cama. Tá doendo tanto...

– Não fica assim, você vai superar esse cara! Você sabe que isso vai passar.

Depois de meia hora, você desliga. Faz uma bolsa de água quente. Veste meias de lã. Toma um copo de chá. Cobre seus filhos. Devolve os livros para a estante. Lava dois pratos. Guarda a roupa passada. Fica assim, indo de um canto para outro, sem saber exatamente o que te atormenta. Então, a ficha cai.

É mentira. A maior mentira que nos contaram – e em que nós, piamente, acreditamos – é essa: a de que tudo passa. Nada passa. Passa coisa nenhuma.

A gente aprende a viver com as escaras, aprende a colocar ungüentos nos talhos fundos, conhece outras pessoas que acabam agindo como bálsamos sobre nossas feridas, mas elas, as sanguinolentas, as danadas, as malsãs, elas não passam nunca. Uma mulher é uma chaga sempre aberta. Um homem é uma ferida sempre exposta. Nada passa.

As pessoas que você amou nunca te causarão indiferença (indiferença, o oposto do amor) – sua única certeza é que você sempre vai sentir alguma coisa quando as encontrar. As pessoas que te menosprezaram, te usaram ou simplesmente te rejeitaram continuam, cada qual com sua adaga, perfurando seu amor-próprio, dia após dia, ano após ano, década após década: nada passa.

Somos todos, homens e mulheres, mestres no fingimento, na dissimulação, no recalque, mas a verdade é que nada passa. Por isso você vê a dona-de-casa histérica ao pegar uma cebola podre no supermercado, por isso você vê um homem feito agindo como um primata no trânsito, por isso seu chefe estoura sem razão, por isso você teve uma crise de choro naquele filme que nem emocionante era, por isso as pessoas têm chiliques inexplicáveis: porque nada passa e nós precisamos de válvulas de escape.

Um colega da oitava série, chamado Fernando, dia 29 de novembro, olhou para você e disse: "Nossa, como você é gorda." A ferida continua aberta.

Você pegou um namorado transando com outra na área de serviço. Você não disse nada, apenas deu marcha a ré ouvindo o eco daqueles beijos pelos azulejos sem cor. A ferida continua aberta.

Seu ex-marido não demorou mais do que dois dias para sair com outra mulher. Esse foi o seu período de luto: um miserável par de dias. A ferida continua aberta.

Para você, as únicas coisas que realmente passam – e rápido – são as boas. E infelizmente as boas, nesse poço sem fundo que é a sua alma, se deixam contaminar pelo que veio de ruim depois e, então, resta só ferida. É como uma colher de vinagre despejada num vinho bom. Contamina. Estraga. Deteriora.

Mais uma vez você se lembra do poema de Drummond: fica sempre um pouco de tudo, às vezes um botão, às vezes um rato. Se alguém te vir tendo um chilique ao pegar uma cebola podre no supermercado, já sabe o que é: são as cócegas malditas dos seus malditos ratos. Porque nada, nada passa.

12
Luto

Chega! A alegria do seu ex te ofende. As vozes, a música e os copos tilintando ao fundo toda vez que você liga para o celular dele são uma afronta pessoal.

Não há mais respeito no mundo? E o tal necessário período de luto após o fim de um relacionamento? Cadê o luto, homem? Não, da parte dele nada, nem uma vela acesa.

Você chora escovando os dentes, você desaba na cama dias seguidos, você enfia caixas e caixas de bombom goela abaixo, enquanto ele se sacoleja de balada em balada. Como você é pouco, menina. Nem dois dias de consternação seu ex manteve em sua homenagem.

Mas por que o seu valor está atrelado ao quanto seu ex honra ou não a sua morte? A sua morte como companheira dele, eu quero dizer. Ou será que você morreu de mais alguma forma?

Sim, você morreu mais do que parece. Seus sorrisos morreram um pouco, seu ânimo, até seu desejo por outros homens. Sua pele morreu um pouco, sua postura vergou um pouco, seus dedos enrijeceram um pouco. E, em contraponto a tudo o que morreu em você, a toda dor que te chumba ao chão, seu ex saltita como um Bambi adolescente.

Será que a sua passagem não merecia um pouco mais de respeito? Se ele não consegue sentir tristeza pelo aniquilamento de tantos sonhos, ele poderia, ao menos, ter a decência de fingir. "Finja que sente muito, homem! É preferível uma mentira nobre e circunspeta a essa tez bronzeada e esse ar caribenho que te revolve os cabelos e me revolta o estômago."

Sim, você queria que ele sofresse um pouco, chorasse um pouco, se deprimisse um pouco. Você queria vê-lo sofrer, pelo menos, tanto quanto você tem sofrido. Ou, talvez, você queria estar tão feliz quanto ele parece estar. Ilusão. Seus humores não mais se misturam no vapor do dia-a-dia, não há mais contaminação, nem para o bem, nem para o mal: vocês estão separados.

A morte de um grande amor deveria merecer mais atenção, pelo menos uma lágrima, um poema, um muro pichado que fosse.

O luto deveria ser algo obrigatório. Fica decretado que, a partir de hoje, qualquer um que se separe tem de observar as seguintes regras: chorar, no mínimo, até encher de lágrimas um copinho de cachaça; não ir a festas, bares, badalações públicas ou privadas por, pelo menos, dois meses; guardar distância de lençóis alheios pelo mesmo período; manter um olhar macambúzio em fotografias e, mesmo que acompanhado dos filhos, jamais viajar para a Bahia. É conveniente emagrecer se você for magro e engordar se você for gordo. É considerado de bom-tom manter olheiras beirando o azul, contanto que os olhos permaneçam límpidos – o que caracteriza o sofrimento de um homem de bem e não a falta de sono de um playboy. Não podendo evitar o contato acidental com algum amigo, reafirmar o quanto esses primeiros tempos de separação têm sido duros. Churrascos estão permitidos. Churrascos são celebrações intrinsecamente melancólicas. O churrasco é o pai da depressão. E a mãe é um coração partido.

13
Você o odeia

Você o odeia. Agora ele deve estar num bar com seus amigos ou com alguma das suas novas amigas tão frescas e estúpidas quanto você foi um dia, enquanto você está aqui sozinha, chorando, comendo, sem uma droga de um colo para deitar a cabeça. Ele escapou de tudo ileso, porque nunca se envolveu com você de verdade: você namorou sozinha, casou sozinha, teve filhos sozinha e se separou sozinha.

As rugas que se incrustaram no seu rosto desde que você o conheceu provam que o tempo passou, mas para ele, esse tempo foi um hiato sem conseqüências. Agora ele desfila de All Star Converse azul por aí, parecendo dez anos mais jovem: é que você envelheceu pelos dois.

Ele e o All Star, que foi presente seu. Quantas idiotas como você ele já enganou usando o All Star que você lhe deu? Quantas acreditaram nesse visual jovem e despojado que você criou para ele? Quantas delas elogiaram os brincos dele na orelha esquerda? Ele diz a elas que foi você quem o levou para furar a orelha, que foi você quem teve a idéia e o movimento, como tudo no seu casamento podre? Ele diz a elas que foi você quem o levou – de má vontade – numa loja para comprar essa calça que ele está usando? Aposto que não.

E outras vão cair na mesma armadilha que você, supondo estar com alguém que realmente se relaciona com elas, quando, na verdade, ele não passa de um parasita que se implanta sob a pele e fica ali, vivendo uma vida fictícia, roubada de outra pessoa, sem qualquer esforço ou empenho até que, quando a hospedeira descobre o truque, nada lhe reste senão procurar outra idiota.

Ele tem alguma idéia do quanto você sofreu tentando salvar o seu relacionamento? Tentando desesperadamente acordá-lo? Não, é claro que não. Um parasita não escolhe sua vida, apenas se deixa levar sem gastar as próprias forças, sem envelhecer, sem amadurecer, sem mudar um milímetro. Ele não mudou nada.

Deus, como você o odeia. Queria nunca tê-lo conhecido, queria varrê-lo da cabeça como no filme *Brilho eterno de uma mente sem lembranças* e você garante que, mesmo desmemoriada, mesmo não se lembrando de toda a dor que ele te causou, você jamais iria se envolver de novo com um sujeitinho do naipe dele. O naipe dos que se fingem de bonzinhos: esses são os piores. E agora ele diz "não tenha raiva de mim" sem nem saber o motivo. Ele quer se safar, como sempre se safou. Quer agora se safar da sua raiva, mas ele não vai se dar bem dessa vez. Sabe por quê? Porque você não é mais sua hospedeira, porque você não tem mais de engolir sua frieza, não tem mais de se submeter a chorar no chão enquanto ele passa por cima de você.

Ele conta esse lindo episódio para as suas conquistas? Não? Então pode deixar que você mesma conta.

Você estava enfrentando um problema bem grave na sua família – e quantas vezes você pediu, em vão, para ele te ajudar... Numa noite, você, estraçalhada por dentro, senta no corredor e começa a chorar, chorar desbragadamente. Atenção: chorona é uma expressão que não se ajusta a você, de modo algum. E lá estava você, largada no chão como uma marionete esquecida em algum canto empoeirado, quando ele, carregando um livro, passa por cima de você no corredor e se deita na cama para ler. Verificando que havia apanhado o livro errado, ele se levanta da cama, passa de novo por cima de você, como quem pula um saco de lixo na calçada, pega o livro certo, volta para a cama tendo de passar mais uma vez por cima de você e põe-se a ler como se você fosse um fantasma.

Em nenhum momento ele olhou para você ou disse algo. Nada. Silêncio. Ignorância absoluta. Vocês não haviam brigado, ele não estava zangado com nada, simplesmente ele ignora qualquer coisa que não lhe diga respeito e a sua dor naquela noite em absoluto lhe dizia respeito. Este é ele. Frio. Distante. Nãoenvolvido. Egoísta. Mas se fingir de bonzinho ele sabe bem. Usar as palavras em benefício próprio, ele sabe bem. Na prática, porém, tudo o que ele te deu foi ausência.

Mas como você é uma boa pessoa, vai lhe fazer um favor. Para facilitar os encontros amorosos dele, vai lhe dar uma carta de apresentação, algo que, em poucas palavras, esclareça a vítima rapidamente sobre as reais intenções dele. Uma espécie de poupa-tempo emocional. Quando ele encontrar uma nova presa, basta sacar este cartão do bolso e dar para a guapa ler – se ela souber ler, é claro. Se ainda assim, a tonta for em frente, é porque realmente merece um verme como ele. Lá vai:

"Olá. Você me achou um homem atraente e difícil, não é? Sou difícil mesmo. Faz parte do meu show. Quanto mais uma mulher tenta me conquistar, mais eu consigo obstruir-lhe a percepção e, assim, ela não conseguirá ver quem eu sou, não até eu estar perfeitamente instalado e em paz. Minha paz consiste em fazer com que outra pessoa lute, se desespere, envelheça por mim. Dessa forma eu levo a vida gastando o mínimo de energia. Choro não me comove, palavras de estímulo não me fazem mudar, carinho me é indiferente. Minha ex é um poço de ressentimentos contra mim, mas isso é um problema dela, como todo o resto. Palavras, eu as uso bem, até pareço muito afetivo quando escrevo, mas não se iluda, eu não passo de um parasita insensível. Não adianta tentar brigar comigo, eu faço você pensar que ganhou a parada e continuo igualzinho. Eu não mudo, eu não sinto, eu não me importo. Este sou eu."

Você pára, pigarreia, relê o bilhete. Depois o amassa e o joga pela janela: ficou suave demais.

14
Comer, comer, comer

O amor é contrário a si, escreveu Camões. E como! O que nos faz experimentar uma das mais intensas alegrias é a mesma coisa que nos traz um dos mais intensos sofrimentos: o amor. O amor não-correspondido. Melhor dizendo, a paixão romântica não-correspondida, já que o amor não exige correspondência para fluir generoso: o amor se estende por outras e melhores esferas.

Toda a crença que mantemos a respeito da paixão romântica – encontrar a cara-metade, ser feliz, plena – desmorona quando ele vai embora para um flat no meio da noite. Separar-se é quebrar a quimera de que a paixão pode ser boa, prazerosa e eterna; separar-se é encarar sua face dura, descarnada e volúvel.

Só os separados e apenas os separados têm certeza: não, não é possível ser feliz no amor. O raciocínio é simples: se não foi possível ser feliz com uma pessoa tão cuidadosamente escolhida, tão amada, a quem dedicamos todo nosso empenho e energia, como poderia ser possível ser feliz com qualquer outra pessoa?

Perdida nessas elucubrações, lá está você num supermercado, comprando repelente para mosquitos quando encontra uma prima. Com aquela estranha euforia que só os apaixonados têm, ela te conta que vai se casar pela segunda vez. Você nem consegue disfarçar o horror que sente: depois de tudo o que ela sofreu no primeiro casamento, vai se enfiar em outra roubada? Será que ela perdeu o juízo?

Mesmo soando ridícula, você confessa que, neste momento, não consegue entender as pessoas que se casam (ou se relacionam a sério com alguém) de novo. A última coisa que você quer no mundo é passar por isso mais uma vez – e firmar um compromisso romântico significa deixar a porta aberta para tudo se repetir.

Se você pudesse fazer apenas um pedido ao gênio da lâmpada, sabe bem qual seria: por favor, entidade mágica, faça com que eu nunca mais, nesta vida ou em outras, me apaixone romanticamente. Que eu sinta paixão pelo trabalho, pelos amigos, pelas atividades religiosas, por meus filhos, mas não por outro homem. Me imunize, gênio. Me vacine. Me proteja.

Foi aí, exatamente aí, depois do encontro com sua prima casadoira no supermercado, depois de perceber que as mulheres são capazes – e que talvez até você seja capaz – de fazer a burrada de enfiar um outro bofe em suas vidas, que você começa a comer, comer, comer feito louca. Ficar gorda poderia ser útil, poderia te proteger dos homens, te afastar deles. E lá veio ela, a velha conhecida, de chicote em punho: a compulsão furiosa. Barras de chocolate, latas de leite condensado, sorvete, bolachas. Salgadinhos, queijos amarelos, frituras, salames. Batata, macarrão, carnes gordas. Sonho, só de creme. Pesadelo, todos os dias.

De alguma forma você está agarrada à dor da separação e a comida te ajuda a reter essa dor. Como um zumbi esquálido, você se alimenta de um osso nu. Não há mais nada aqui, as ilusões se esfarelaram, a relação acabou, talvez a única coisa que tenha te sobrado, que faça algum sentido, que justifique você ainda respirar, seja a dor. A verdade é que você precisa sair desse pântano no qual se debate, no qual se mantém, no qual se martiriza. E engordar só vai te fazer atolar ainda mais fundo, só vai te fazer se sentir pior. Parece óbvio – e de fato é –, mas não é nada, nada fácil.

15
Por que os casados engordam?

Um dos maiores pesadelos de quase toda a mulher é engordar. Há os que dizem que essa preocupação é fútil. A esse tipo de pessoa você faz três perguntas bem simples: ela já pesou mais de cem quilos? Já entalou numa catraca de ônibus? Já chorou de vergonha na praia? Não? Você, já. Você sabe bem o que é isso. Então, que ninguém coloque na mesma frase as palavras gordura e futilidade, não na sua frente.

A comida, para você, sempre foi um vício. Como um alcoólatra corre para a bebida, você corria para a comida sempre que algo dava errado. Como agora, a relação é simples: separação – dor – comida. É sempre assim.

Mas houve uma vez, uma única vez, em que sua cabeça virou do avesso: você estava feliz, havia acabado de entrar num emprego novo e desejado, namorava um homem maravilhoso e... começou a engordar. Cinco, sete, dez quilos. Gata escaldada, no primeiro feriadão, você arrumou a mala e foi para um spa, não só com o desejo de emagrecer, mas, sobretudo, de ficar sozinha e descobrir por que diabos você estava comendo tanto se tudo estava bem na sua vida. E foi lá, por causa de um acidente, que você desvendou o mistério.

Sua colega de quarto no spa caiu de uma cerca e, apesar da grama ter amortecido sua queda, chamaram às pressas um ortopedista. Você estava fazendo companhia a ela, quando a dona do spa entrou no quarto com o médico. O médico. Ele olhou para você. Você olhou para ele. E foi faísca para todo o lado. Bate um papo aqui, enfaixa um pé acolá, o ortopedista-gato acabou pedindo seu telefone. E você acabou dando.

Quando ele foi embora, seu inferno começou. Os pensamentos mais diversos te ocorriam: "Meu Deus, eu dei meu telefone para outro homem! Isso é uma traição! Meu namorado não merece isso. Puxa, mas que médico lindo... Não, não posso! E se ele me ligar, o que é que eu faço? E se ele me ligar quando meu namorado estiver em casa? Por que eu fui fazer uma bobagem dessas? Espera aí, eu não fiz nada. Mas bem que gostaria... Socorro!"

Nesse momento, você saiu correndo pela estrada, foi até a cidadezinha mais próxima e se encheu de sorvete numa perfeita overdose de glicose e gordura. Ao voltar para o spa (de táxi, claro, você não tinha forças para dar um passo), finalmente percebeu o porquê do seu ganho de peso.

Você estava namorando sério e acreditava na importância de ser fiel, porém, ao mesmo tempo, se sentia atraída por outros homens. Foi aí que começou a engordar com o objetivo inconsciente de se retirar do mercado sexual (leia-se "do mundo"). Três, dez, trinta, cada um sabe quantos quilos a mais são suficientes para se fechar em si mesmo, para não olhar o outro, para não se sentir atraente. Trocando em miúdos: você engordou para se manter fiel. Da mesma maneira que agora está engordando para se manter fiel a sua dor.

Se não estiver satisfeita com o seu peso, o mais importante é, sozinha, encarar o espelho e se perguntar: por que é que eu estou comendo tanto? A resposta – você sabe muito bem – pode doer, mas também pode te libertar.

Por enquanto, você abre a embalagem de uma barra gigante de chocolate alpino, se olha no espelho e pensa: "Agora eu sei, sei exatamente por que estou comendo. E não posso parar. Não ainda."

16
Especialmente nos cabelos

Uma bela manhã você dá de cara com uma senhora maltrapilha dentro do seu banheiro. Cabelos desgrenhados, corte indefinido, raízes brancas crescidas, pernas peludas, cravos na ponta do nariz, unhas em petição de miséria. Você só não grita porque são seis horas da manhã de um domingo e as crianças estão ferradas no sono. A senhora maltrapilha lhe acena no espelho: sim, meu bem, é você mesma.

Como você pôde chegar a esse estado? Fácil: bastaram alguns meses sem cabeleireiro, sem depiladora, sem manicure, sem esteticista, para a monstrenga do pântano se instalar de mala e cuia na sua casa.

É preciso tomar medidas urgentes. Impossível esperar até segunda-feira. Você vai dar um jeito naquele horror hoje mesmo. A sofreguidão em se ver logo com uma boa aparência te inspira um pensamento perigoso: *Que tal mudar a cor dos cabelos?*

Você corre à farmácia mais próxima de plantão, compra esmalte, acetona, lixa de unha, alicate, kit para limpeza de pele em adolescentes (deve servir para você também), kit para depilação em casa e uma tintura vermelho-profundo para os cabelos.

Munida de toda aquela tralha, você se tranca no banheiro. Para não se atrapalhar, vai fazendo tudo passo a passo. Primeiro a depilação, que dá quase certo: sobram umas gosmas marrons presas na sua perna. Depois, a limpeza de pele, que dá quase certo: ficam uns vergões vermelhos no seu nariz. Por fim, você acerta a franja que estava muito comprida e passa a tintura nos cabelos e, enquanto ela age nos seus fios, você aproveita para fazer as unhas. Com a falta de prática, as unhas dão quase certo: restam cutículas picotadas e sangrentas. No fim de trinta minutos, você entra no chuveiro. Ao sair e secar os cabelos, você vê que a tintura deu quase certo: as raízes ficaram cor-de-rosa e as pontas castanhas, isso sem contar que a franja por você cortada ficou muito curta, o que te deixa igual ao índio Aritana.

Então você dá de cara com uma senhora estranhíssima dentro do seu banheiro: cabelos bicolores, franja de Peri sem Ceci, pernas com tufos de cera marrom, nariz vermelho de palhaço, unhas cheias de machucados. Você só não grita porque são dez horas da manhã de um domingo e as crianças estão na sala vendo desenho.

Moral da história: profissionais da beleza não são criaturas supérfluas. Da próxima vez, você vai segurar a ansiedade e marcar uma hora num salão. Mulheres recém-separadas sempre fazem bobagem, especialmente nos cabelos.

17

Depressão

Faz alguns dias que você não sai da cama. Como se ela fosse feita de terra quente, tudo o que você quer é permanecer imóvel sobre esse leito, feito morta, aquecida pelo abandono de qualquer sentimento. Nem bom, nem ruim: nada. Você só quer ficar aqui, quieta, experimentando a sensação de total imobilidade. Apenas respira.

Que ninguém te peça para se mover, o máximo que você consegue é puxar o edredom para cima, cobrindo cada vez mais sua cabeça até perder a forma humana, até se parecer apenas um monturo. Você é um espectro e quer silêncio absoluto.

No meio desses dias estranhos, seu ex lhe disse para seguir em frente, disse que não vai compactuar contigo, que não vai se submeter a você, que não vai deixar você manipulá-lo emocionalmente com sua depressão.

Você não está manipulando nada nem ninguém. Você só pede a ele que fique com as crianças por uns dias enquanto você se rende à sua cama de terra roxa, enquanto você mergulha na própria loucura, enquanto você tenta se reerguer depois de ter perdido a fé na coisa que você mais acreditava. Você acreditava na relação de vocês. Vocês dois, juntos, para sempre. Acreditava tão piamente nisso que não conseguiu ver que deixou de amá-lo muito tempo atrás. Então, que ele não te entenda mal. Você não quer que ele volte, você só quer morrer. Parece estranho? Ele não é mulher, não carrega um abismo dentro si, por isso não entende.

Não, você não está na TPM, não está menstruada, nem ovulando, não está tomando remédio, não há nenhuma explicação hormonal ou química que justifique, aos olhos dele, sua agonia. Homens, eles não entendem. Porque eles têm uma espada e nós temos um poço, porque eles atuam com um guerreiro pragmático e nós sufocamos uma louca primal.

Seu ex levou as crianças. Com má vontade, pois certamente a presença delas irá atrapalhar algum encontro dele, mas as levou para longe. E assim você fica mais tranqüila para se entregar a essa imobilidade de fundo e forma. Quando anoitece, você vai até a cozinha e ali mesmo, em pé, engole uma barra inteira de chocolate. Não a devora com fúria, como normalmente faz, apenas a engole. Depois lava as mãos e volta para a cama. Não profana seu leito com migalhas ou restos de comida. Volta à posição original. Não estica os lençóis, não ajeita o cobertor, não afofa os travesseiros: apenas se deita com as mãos sobre o peito e fecha os olhos como se fosse para sempre.

Seu terapeuta lhe diz que é perversão se entregar, em vida, a uma cova e ainda ter prazer nisso, mas você lhe diz que existe algo de reconfortante em se abandonar e não resistir mais à dor.

Você sempre achou a Branca de Neve sem graça e a bruxa muito mais bonita. A morte desta última no precipício te apavorava. E agora você está à beira do seu próprio precipício, sem anão, sem príncipe, sem sequer um tronco para se agarrar. Chove e você não sabe dizer se a água que escorre pelo seu corpo está quente ou fria. É como se você tivesse sido anestesiada e apenas sentisse os fios líquidos escorrerem por você. O castelo dourado, real, palpável, pura luz, se encheu de musgo e terra roxa, a mesma substância que te envolve agora. Sua casa é uma prisão. Seu amor se foi. E nem seu amor ele era mais.

18
Boa menina

Você foi criada para ser uma boa menina. Ouviu umas setenta mil vezes a frase "Seja uma boa menina, minha filha". Boas meninas não se separam, especialmente se têm filhos, mas você é uma boa menina e para provar isso vai sofrer, precisa sofrer mais do que o suficiente, sofrer até purgar o pecado de ter tomado uma decisão de mulher. Meninas, especialmente boas meninas, não se separam; mulheres sim.

Então você engorda, para provar a sua mamãe o quanto está sofrendo. Engorda e, numa natural e esperada – diria até mesmo desejada – conseqüência, se deprime. Além da tristeza natural, compreensível e justa, pelo fim de um relacionamento, você precisa da depressão. Aquela que te achata na cama e faz com que se levantar, tomar banho, levar o filho na escola e ir ao banco pagar as contas do mês sejam tarefas hercúleas. Você precisa da depressão para ser uma boa menina, como mamãe sempre te ensinou.

E a comida fecha o círculo vicioso: ela ajuda você a se enterrar. Dessa forma, só há conforto enquanto você mastiga, enquanto se enterra. Quando você estiver bem gorda – o que não vai demorar muito, você promete –, homem nenhum vai olhar para você nem você terá vontade de olhar para ninguém e, assim, se retirando do mundo do desejo, você vai provar que é uma boa menina. Uma boa menina que, apesar de ter desejado se separar, apesar de ter se separado, sofre adequadamente. Você está sofrendo direitinho? Está se portando de forma apropriada? Você já desceu a barra das suas saias?

Você entra na padaria:

– Me dê um doce, moço, aquele brigadeiro, por favor. Melhor colocar num saquinho para viagem.

Um homem atraente passa por você, pára no caixa com alguns iogurtes na mão.

–Vamos, moço, rápido, me dê um doce. Bem, já que eu vou levar um saquinho, então, coloque aí dentro uns dez. É, dez brigadeiros, dos grandes.

O homem atraente vira o rosto de forma mecânica para onde você está e pára os olhos em você um ou dois segundos.

– Me dê mais dez brigadeiros, moço. É, isso mesmo, mais dez: vinte no total.

Seria um pecado achar um homem atraente agora, não seria? Seria coisa de mulher vadia, que não se dá ao respeito. Seria coisa de mulher – e você é uma menina, uma boa menina. Então, você não olha para o homem atraente. Em vez disso, você compra doces.

Você marcou uma consulta no psiquiatra. Talvez ele te receite um antidepressivo. Tomara. Poderia ser um daqueles remédios que engordam e tiram a libido. Não seria ótimo? Além de acelerar seu processo de engorda, seu lúbrico olhar, sujo e inconveniente, seria anestesiado. Mas não é só isso, facas Guinsu. Você ainda poderia contar para todo mundo que, ei, você está tomando antidepressivo. Antidepressivo! Está, como convém, clinicamente deprimida, tanto que está tomando o quê? O quê, Lombardi? Vitaminas? Não: antidepressivo! Isso seria o bastante? O bastante para mamãe passar a mão na sua cabeça e dizer que você é uma boa menina? Isso seria o bastante para, pelo menos, ela parar de te julgar?

19
Amor, ainda

Se o casamento fosse uma novela, seria fácil se separar. O último capítulo é o fim, o nada, o zero eterno. Segunda-feira começaria um novo drama com suas próprias preocupações e aquela história finda seria passado. Nós, porém, carne, osso e geléia de emoções, não conseguimos passar daqui para ali num estalar de dedos. E tão embaraçoso quanto se roer de raiva do seu ex é perceber que você ainda o ama. Não da mesma forma, não com os mesmos interesses e objetivos, mas, sim, ainda há amor. Amor que não se desfaz com um punhado de sabão, não se substitui por um sofá novo tampouco se evapora ao sopro de decisões racionais.

À noite, quando a casa está silenciosa, você deixa que Ella Fitzgerald cante *Easy to love*, enquanto você vai, com muita dificuldade e alguma vergonha, admitindo quão doces e profundos – também doces e profundos – são seus sentimentos para com seu ex. Ele que não é mais seu, ele que não mais aperta seus quadris com as mãos firmes, ele que, aos noventa anos, não vai mais segurar sua mão no banco da praça. Ele, que se foi cumprindo uma vontade mútua, é o mesmo ele que você ainda ama. E como é difícil ajustar numa mesma garrafa todos esses conflitantes e pungentes sentimentos. Como é penoso saber que, entre vocês, não há mais cartas na manga e o jogo acabou.

Não, não é possível fingir que ele é um estranho, não é possível desconsiderar todas as palavras que foram ditas e as que ficaram subentendidas, não é possível recomeçar. Para uma menina que cresceu ouvindo românticos contos de fada em disquinhos coloridos na vitrola, dói perceber que o amor não é capaz de dar conta de tudo.

É então que você é assombrada pelos bons momentos, aqueles mesmos que, nos últimos meses, você havia varrido da memória a fim de não esmorecer na sua resolução de se separar. Sim, os bons momentos, retidos em tonéis de mágoa, rebentam sua prisão e vêm à tona. Os renegados reclamam seu lugar de direito.

Uma réstia de sol tornando os olhos dele verdes, as partidas de xadrez, as madrugadas na rede, a plenitude dos corpos suados, os papos infindáveis, os cigarros na varanda, as brincadeiras zapeando a TV, as gargalhadas com músicas ridículas, a primeira vez que você o abraçou por trás, no cinema, derrubando seu pacote de pipocas, o dia em que você o chamou de senhor dos exércitos e ele disse que você era mais poderosa do que ele pois era a senhora do senhor dos exércitos, a fuga espetacular de uma noite de autógrafos lotada, o dia em que ele se declarou, da forma mais desajeitada possível, apaixonado por você, o primeiro carnaval juntos, os banhos ao ar livre na casa da praia, a trilogia de *O poderoso chefão*, os beijos na rua sem o menor aviso, os bilhetes carinhosos e, sobretudo, a certeza, a absoluta certeza de que tudo aquilo seria para sempre.

Ella canta Cole Porter e você chora. Quando será o último capítulo dessa novela? Talvez não exista um último capítulo. Talvez seu ex permaneça para sempre na sua vida, de uma maneira com a qual você jamais sonhou – mas, ainda assim, para sempre.

20
Dinheiro

Você comprou uma botinha para sua filha e um tênis para o seu filho. Sai da loja tentando convencer a pequena de que seria melhor usar a botinha só quando o tempo esfriasse, mas é inútil. Ela está encantada com o presente e não vai tirá-lo dos pés durante os próximos quatro dias – você já viu esse filme.

À noite, quando seu ex liga para saber das crianças, imediatamente, como se tivesse a obrigação de prestar contas, você informa sobre os sapatos, onde eles foram comprados e quanto custaram. Não, enquanto vocês eram casados você não costumava dar satisfações sobre o que foi ou não comprado para as crianças, mas agora sente que isso virou um dever e, ao mesmo tempo, um trunfo.

O dever é mostrar que você não está jogando dinheiro fora, que a pensão vem sendo muito bem administrada no interesse direto e exclusivo dos seus filhos. O trunfo é o seu martírio: é você quem ficou com as crianças e tem de cuidar delas em tempo integral, é você quem vai comprar tudo, ou quase tudo, de que elas precisam, você é a nobre e devotada administradora da educação, dos recursos materiais e dos princípios morais das crianças – sem dúvida, um trabalho árduo.

Após a separação, dinheiro passou a ser um tema delicado entre vocês. Não só os sapatos, mas tudo o que você compra para as crianças, com o seu dinheiro ou com o dele, você informa. No entanto, tudo o que você gasta consigo, seja um simples corte de cabelo ou um par de sandálias havaianas, você tenta esconder como se fosse fruto de desvairada cobiça. O correto é você andar em farrapos e as crianças, em tafetá. O decente é você emagrecer a olhos vistos e as crianças engordarem como porcos. O certo é você ostentar olheiras monstruosas e as crianças, lábios vermelhos e bochechas coradas. Pra que isso?

Você trabalha, ganha seu próprio dinheiro, pode muito bem se dar alguns luxos sem encostar o dedo num centavo da pensão destinada às crianças, por que então essa necessidade de se martirizar perante o seu ex como se você fosse uma carmelita descalça, uma monja em recolhimento ou a cadela esquálida de um mendigo?

Aí é que está: você não tem essa necessidade, você simplesmente criou, inventou, cerziu essa estrambótica e inútil necessidade. Tudo depende de como você se coloca. Apareça com um lindo pingente de ouro no pescoço e não abaixe a cabeça como se houvesse algum crime nisso e jamais alguém irá lhe dirigir uma palavra de censura. Vista chita e baixe os olhos envergonhados para o chão e todos te acusarão de perdulária.

É você quem escolhe como quer ser tratada, é você quem se coloca, é você quem sucumbe aos seus preconceitos ou se faz respeitar como uma pessoa que tem seu próprio dinheiro, que não fez voto de pobreza e que de forma alguma é amante do sacrifício estéril.

Não, você não se sacrifica pelos seus filhos simplesmente porque não há necessidade. Você não vai mais se policiar quanto a comentar algo sobre aquele curso caríssimo que você está fazendo na Casa do Saber, você não vai esconder o casaco de couro vermelho quando seu ex tocar a campainha, você não vai se colocar nessa situação nunca mais. No entanto, por via das dúvidas, você vai guardar todas as notas fiscais de todos os gastos com as crianças. Precaução e canja de galinha não fazem mal a ninguém.

21
A raiva que te alimenta

Seu ex – o mais ativo baladeiro da cidade – toca a campainha para devolver as crianças. Ao abrir a porta com um sorriso suficiente – suficiente para não esganá-lo, conforme seu desejo –, você supõe que ele vai deixar os pequenos e dar o fora, sem chegar perto do capacho da entrada, como sempre. Mas, não. Dessa vez, seu ex, de mãos dadas com a sua filha, vai entrando, como se a casa ainda fosse dele.

Sem maiores cerimônias, ele se aboleta no sofá. Você olha a cena indignada, mas, para não começar uma briga, decide agir como se não houvesse nada de estranho. Você se senta na poltrona e liga a TV no programa do Raul Gil. Ele odeia o Raul Gil. Você também odeia o Raul Gil, mas tem a esperança de que ao som de ô-lê-lê-ô-lá-lá-espere-um-poquinho-vamos-faturar seu ex se manque e vá embora. Mais uma vez, não. Ele parece decidido a te enervar.

O tempo passa, um calor infernal, o suor escorre na testa dele, escorre na sua testa. Você poderia ligar o ventilador de teto ou o circulador de ar ou abrir a porta da cozinha ou as três coisas juntas, mas isso seria refrescá-lo e você não quer que ele se sinta refrescado. O ar está pesado como no inferno e se ele quiser escapar dessa atmosfera que vá atrás da brisa que agita as saias curtas das mulheres disponíveis nas ruas. Vocês não trocam palavra e nenhum dos dois se mexe. Não faz o menor sentido a presença dele ali.

O que ele quer? Provar quão magnânimo ele tem sido te premiando com meia hora do seu tempo? Por que ele simplesmente não se levanta e vai embora? Deve estar perdendo muitos compromissos. Certamente uma das suas amiguinhas espera pelo seu telefonema, enquanto ele mofa num sofá que já acomodou um dia as babas dos seus cochilos.

Depois de meia hora, ele diz: "Bem, acho que eu vou indo." E você pensa: "Já vai tarde!"

Quando ele sai, você corre para a esteira elétrica. Caminha cinqüenta minutos na velocidade 4.7, nunca dantes alcançada. Depois, faz exercícios com pesos para os braços e os glúteos. Molhada de suor, você aproveita o embalo e arruma a cozinha, recolhe os brinquedos, varre a sala, dá banho nas crianças e as coloca para dormir. Antes de entrar você própria no banho, ainda aproveita para esfregar a soleira encardida, entre a cozinha e a sala.

No dia seguinte, você pula cedo da cama e leva as crianças à locadora de vídeo, ao shopping, à piscina de bolinhas, ao McDonald's, ao cinema, ao SESC, à oficina de artes, a uma peça gratuita, ao circuito de obstáculos, à escalada em parede, ao aniversário de um amiguinho e, depois, de volta para casa, você ainda carrega um por um para a cama, já que ambos desmaiaram de sono e cansaço no banco de trás do carro.

Antes de dormir, você repete sua rotina de caminhar cinqüenta minutos na esteira, dessa vez na velocidade 4.0, fazer exercícios para os braços e os glúteos e, antes de tomar banho, dar uma geral na casa.

A raiva que você sente do seu ex – e talvez de você mesma também – te alimenta, te sustenta, te impulsiona. Resta saber por quanto tempo.

22
Majestosamente solteira

O óbvio, às vezes, se esconde. O óbvio se mistura à prestação do plano de saúde ou à cama fria e perde a cor, o cheiro, o significado. Hoje você se deu conta do óbvio, e foi assim: três da tarde, você está com seus filhos na Saraiva. Eles se sentaram numa mesinha cheia de livros infantis enquanto você procura o CD do filme *Encontros e desencontros* na parte de trilhas sonoras.

Então um homem, homem pouco passado dos quarenta, do tipo absolutamente em forma e charmoso até trincar os dentes, pára ao seu lado na seção de DVDs. Ele olha para você e você, para não sair dali, resolve procurar o CD em todas as repartições uma segunda vez. Ele pega um DVD na estante, lê a embalagem, o coloca de volta no lugar e olha de novo para você. Você retribui, meio sem graça, mas retribui. Subitamente aparece a dona do gatão de meia-idade – um cara daqueles dificilmente estaria sozinho – e ele vai embora, de mãos dadas com a fulana muitíssimo mal-encarada.

Você acompanha o casal com os olhos e, antes que eles se retirem da loja, o gato vira-se de supetão e, sem o menor pudor, encara você. Encara você e sorri. Sim, sorri! Para desespero da fulana grudada a ele – esse relacionamento não deve estar muito bem das pernas –, ele sorri direta e especificamente para você. Você não tem tempo nem de virar o rosto nem de retribuir ao sorriso, tudo é muito rápido, mas uma coceira lhe varre as entranhas, seguida de uma curiosa sensação. Sensação não-identificada, quente, vigorosa, espumante.

Desejo. Você bem que quis enterrar seu desejo, mas ele não se dobra fácil e agora não mais te interessa calar sua voz rouca. Eis o óbvio brilhando como diamante lapidado ao sol: você agora é solteira de novo e, portanto, está livre para curtir as delícias que só a vida de solteira tem.

Vejamos: liberdade para fazer o que quer na hora em que quer é bom, mas pouco significativo neste momento – mesmo porque as crianças fazem com que você não possa realmente fazer o que quer na hora em que quer. No entanto, há outras coisas muitíssimo estimulantes para as quais você está plenamente liberada: paquerar sem culpa, sair com uma pessoa nova, poder trilhar todas as possibilidades de entrega romântica que se coloquem à sua frente, sem limites ou rótulos humilhantes (como amante).

Você está livre, sem entraves, impedimentos, sem juízes particulares cutucando sua consciência. E, mais uma vez, o óbvio nunca pareceu tão novo e fresco: você é solteira!

Ao sair da livraria, você sente o vento no rosto, no corpo. O mesmo vento que te atingira na entrada, parece agora um renovado e sexy vento tropical com aroma de canela. Você fecha os olhos um instante, respira fundo e sai correndo atrás das crianças que foram brincar nas esculturas da praça.

Não, você não sai correndo como uma mãe aflita, disparando conselhos aos pimpolhos arrojados. Tampouco você sai correndo como criança, como se uma outra criança fosse. Você sai correndo exatamente como você é: uma mulher. Uma mulher majestosamente solteira.

23
Tempos bicudos

Quando o assunto é romance, mesmo ferida, machucada, repleta de talhos infeccionados, bem que você gostaria de um emplastro de um metro e oitenta e ombros largos. De qualquer maneira, os compromissos profissionais e as crianças têm absorvido quase que todo o seu tempo disponível.

Hoje, por exemplo, depois do expediente, você marcou um café com o representante de uma empresa cujos serviços interessam ao seu departamento. O mote do encontro é tatear uma futura parceria e trocar impressões sobre trabalho – impressões descontraídas, sem o ranço de uma mesa de mármore e uma copeira servindo cafezinho em xícaras com logotipo comercial.

Sim, é apenas um encontro de trabalho. Mas, num mísero segundo, você imagina se Cássio não será, também, um homem interessante. No bar, você o espera chegar, com uma pasta vermelha sobre a mesa – o código para vocês se reconhecerem. Talvez ele seja interessante e desimpedido. Você fecha os olhos e sacode a cabeça: "Xô, xô, pensamentos do mal! Saiam dessa cabeça frágil de recém-separada."

Quando você abre os olhos, alguém está vindo em sua direção, sorrindo. Sim, é ele. Oh, céus, ele é bonito! Oh, céus, ele está bem vestido! Oh, céus, ele calça sapatos maravilhosos! Oh, céus, ele não tem aliança! Você está perdida!

A conversa rola solta e franca por mais de uma hora. Da possível parceria profissional vocês passam a livros, música, cinema. Cássio é culto, ama Billie Holiday, sabe várias poesias do Neruda de cor, gosta de cinema e adora cozinhar: você está mais do que caída por ele. Se ele te convidar agora para jantar e esticar a noite, você vai. Se ele te convidar agora para ir ao seu apartamento, você vai. Se ele te convidar agora para escalar a montanha K2, você vai.

Vocês estão sentados a uma mesa ao lado de uma grande vidraça que dá para a rua. Sensação agradável, essa: as luzes e o movimento noturno estão próximos, enquanto qualquer barulho e o cheiro dos escapamentos não chegam até vocês. Nisso um rapaz, na calçada, pára em frente à vidraça, olha para Cássio e acena para ele, que acena de volta. Em alguns segundos o rapaz segue seu rumo, sumindo por entre uma aglomeração que espera ônibus num ponto.

– É seu amigo? – Você pergunta, por educação.

– Bem... Não exatamente. – Pausa. – É um ex.

Você sente seu rosto se decompondo. Monta alicerces de emergência para não parecer muito chocada. Não que fosse algo chocante um homem ter um namorado, em absoluto, o que é chocante é aquele homem ter tido um namorado, o que significa que você está mais fora do jogo do que atleta pego em exame antidoping. Com a ajuda das aulas de teatro na adolescência, você consegue sustentar mais quinze minutos de conversa descontraída, até que o encontro naturalmente se dê por encerrado.

Ele vai embora e você sente cólicas no estômago. Isso nunca te aconteceu, se sentir atraída por um gay. Você mantinha a estúpida crença de que os gays exalam um tipo de masculinidade que é atraente apenas para outros homens e que uma mulher que se interessa por um gay é, no mínimo, louca de pedra.

Pois você estava enganada, a masculinidade que um gay pode exalar é tão poderosa quanto qualquer outra. E você caiu feito uma pata. Ainda bem que aquele rapaz parou para cumprimentá-lo, senão você deixaria que uma esperança vã enchesse seu peito romântico e a queda seria ainda maior.

Melhor voltar para casa com o rabo entre as pernas. Pois é... Os tempos estão bicudos.

24
A raiva que te alimenta – parte 2

Primeiro você viveu a fase da euforia. Mudar o estofamento dos móveis, limpar os armários, trocar os quadros e os porta-retratos, comprar uma cama de solteiro e novos edredons.

Depois, você entrou na fase da raiva. Não podia nem olhar na cara do seu ex que já tinha vontade de dizer: que o diabo te carregue! Tudo o que ele fazia era uma afronta, era cinismo, desaforo.

O barato que a euforia dá não dura muito, no entanto, o barato da raiva pode te alimentar por meses, até anos, quiçá décadas.

Você está tirando forças do rancor, drogada, corrompida. Não pretende abrir mão da raiva, embora saiba que sua força é fictícia e que seu preço é alto. A raiva move suas atitudes, das cotidianas às fundamentais, e sabe-se lá por quanto tempo esse estado podre poderia se manter se o seu ex não tivesse rompido o lacre.

Certo dia ele te liga para saber das crianças e, de repente, como quem não quer nada, pergunta:

– Você não está com raiva de mim, está?

Pega de surpresa, você permanece em silêncio por alguns segundos. Raiva. Bem, você até pode ser um cão babando espuma branca, mas falsa é coisa que não é.

Mesmo com a possibilidade de soar ridícula, infantil e injusta, você diz ao seu ex o que está sentindo. Linha por linha, ponto por ponto. Você se sente sobrecarregada por estar sozinha tomando conta das crianças e isso te dá raiva; ele não guardou o devido luto depois da morte do relacionamento de vocês e isso te dá raiva; ele vive nas baladas, saltitante, cheio de amigas e isso te dá raiva; ele saiu do processo de separação ileso e isso te dá raiva.

Seu ex a escuta, linha por linha, ponto por ponto, e depois diz: isso é ridículo, é infantil e injusto.

Sim, você sabe que os motivos que te deixaram com raiva são ridículos, infantis e injustos. Mas são seus. É como você se sente. Podem não ser bonitos, podem não falar direito, podem até cheirar mal, mas eles são seus e são reais. Enquanto eles estavam cobertos pela raiva, você nem os enxergava direito ou não queria admiti-los. Agora, pelo menos, você pode fazer alguma coisa a respeito.

Você desliga se achando uma completa idiota. Agora ele sabe como você se sente e nem o amor-próprio te restou.

À noite, você vai verificar os e-mails e lá está uma mensagem dele.

Seu ex diz que está sofrendo e sofrendo tanto que tem saído todas as noites justamente para fugir desse luto que o ameaça como um cão Cérbero, tem saído para não ouvir a casa silenciosa, sem as vozes das crianças, para não olhar para uma cama estranha e uma sala estranha e um banheiro estranho com o qual ele não consegue se identificar. Ele tem medo da dor e está resistindo como pode. Se parece alegria, não é. Embora ele não devesse lhe dar satisfações porque vocês estão separados, ainda assim, ele lhe diz: não saiu ileso da separação coisa nenhuma.

Cada um foge da dor como pode. Você usou a comida, a depressão, a raiva; ele usou as noitadas. E nenhum dos dois está feliz.

P.S.: Depois de ter te escrito o e-mail, seu ex saiu para comprar cigarros e, por impulso, entrou numa igreja. Se sentou no fundo, num cantinho, e chorou por quarenta minutos sem parar. Mas isso você nunca vai saber.

25
Sábado à noite

Em matéria de desespero, nada, rigorosamente nada se compara ao que você pode experimentar numa noite quente de sábado.

Dez da noite, trinta graus, um luar estupendo lá fora, seus filhos foram dormir com o seu ex e você... bem, você não tem nem um gato para puxar pelo rabo.

As noites quentes de verão parecem que foram feitas sob encomenda para os amantes frescos, amantes há poucas luas, aqueles que ainda não foram apresentados ao mau humor, ao descaso, à impaciência e à falta de desejo. Bem, hoje é sábado. Calor absurdo. Estrelas aos montes insistem em marcar presença no céu, mesmo com todas as luzes da cidade grande a lhes ofuscar o brilho. E o programa mais atraente ao seu alcance é limpar a geladeira.

Nessa hora você pensa no homem assaz interessante que te encarou no metrô ontem. Você pensa no vendedor do mercadinho que sempre fica te seguindo com uns olhos gulosos. Você pensa até naquele ex-namorado do qual você demorou tanto para se ver livre. Aquele grudento e criançola. Será que ele estaria disponível esta noite?

Quando foi a última vez em que você sentiu prazer? Não o prazer cálido de observar os filhos dormindo nem o prazer cheio de culpa do chocolate escorrendo goela abaixo. Não, eu me refiro aqui ao prazer proporcionado pela sensualidade, ao prazer de encostar toda a sua pele em toda a pele de outra pessoa e trocar fluidos, carinho, energia.

E hoje seria a noite perfeita. Seus filhos estão com o pai – o que significa que ele, seu ex, não está saçaricando com alguma outra, não esta noite, esta seria inteiramente para o seu prazer. Uma noite egoisticamente sua. Sim, este detalhe faz diferença. Porque você não é uma santa. Porque você tem mais ciúme dele agora do que jamais teve quando vocês estavam casados. Porque você quer se sentir superior um pouco, mesmo que pelos motivos errados.

Então você decide tomar uma decisão drástica. Pegar o telefone e tirar um bom amigo da cartola, daqueles que toda mulher deve ter, um pouco mais que amigo, um pouco menos que amante, um pequeno refresco. Você não se sentiria bem indo caçar na noite, prefere um endereço e uma boca conhecidos. Não é a quinta maravilha do universo, mas é a única coisa decente que você tem à mão. Então você liga. E ele está em casa. E você o convida para sair. E ele aceita.

Você não sabe se ouviu bem ou se aquela facilidade toda foi um delírio, afinal os tempos têm sido bastante bicudos e é natural que você tenha alucinações com um braço masculino à sua disposição sem muitos tropeços. De qualquer maneira, você se empeiquita toda, agradecendo aos deuses pagãos por ainda haver justiça no mundo.

Numa noite como a de hoje até Medéia esqueceria sua vingança contra Jasão para se fartar de um anônimo repasto de músculos e pêlos suados.

Meia hora depois você está pronta, aguardando seu amigo. Você não desgruda o nariz da janela, à espera do carro, mas nada dele aparecer. O tempo vai passando, vinte, trinta, quarenta minutos e nenhum sinal dele. Você telefona para a sua casa, para o seu celular, passa até um e-mail. Nada.

Você começa a descascar o esmalte das unhas. Então, pouco antes da meia-noite, seu amigo liga dizendo que tomou dois comprimidos para gripe e pegou no sono. O encontro de vocês, ele diz, fica para outro dia. Bem, você já deveria saber: nunca espere nada de um homem, nunca espere absolutamente nada de um homem.

26
À procura de uma perna cabeluda

Você acaba de se dar conta de que quatro meses se passaram e tudo o que você tem feito é chorar e dormir e comer e se punir e se sentir muito mal por um relacionamento importante que fracassou. Resultado: nem você se agüenta mais.

Numa manhã frienta de domingo, você se levanta como quem saiu de um beliche no exército. Lava o rosto com fúria. Escova os cabelos determinada. Coloca um moletom decente e uma blusa de malha muito branca. Resolvida, você se senta em frente ao micro – a mais próxima janela para o mundo, seja lá o que isso signifique, de bom ou de ruim – e começa a procurar sites de encontros.

Escolhe o melhor deles. Sete dias de graça. Depois desse tempo de experiência, há várias categorias de preços e serviços nos quais você pode se encaixar. E quem vai esperar uma semana inteira? Você é que não. Logo se cadastra como cliente diamante, com todas as possibilidades e detalhes e serviços ao seu dispor. Amizade e diversão. Romance casual. Relacionamento Sério. Sexo. Você clica em todas as opções. Preenche seu perfil. Manda foto. E, assim que se vê cadastrada, começa a virar o site de cabeça para baixo.

Homens, homens, homens. Meu Deus, quantos homens disponíveis! Perfis e mais perfis e mais perfis. Fotos de todos os tipos. Sua lista de favoritos vai crescendo. Você nem pára para almoçar, engole um pedaço de pizza frio e manda as crianças atacarem a dispensa livremente. A tarde avança. Quando você resolve alguma coisa, vai fundo: *Homens a granel, que venham!*

Dor nas costas, dor nos ombros, dor no cóccix. No início da noite, você seleciona três que mais lhe agradam – nem bonitos demais, nem feios demais, nem magros demais, nem gordos demais, nem pobres demais, nem ricos demais – e começa a mandar e-mails com um singelo "vamos conversar?".

No dia seguinte, antes de sair para o trabalho, você corre para o micro. Nenhuma novidade.

Até chegar a hora do almoço, você já entrou exatas doze vezes no site. Nenhuma novidade.

À noite, você já perdeu a conta dos cliques que deu. Na última espiada, sim, algo diferente! Alguém lhe adicionou como favorita! Seu coração estoura: quem sabe é algum dos homens pelo qual você se interessou? Como você pode ficar tão entusiasmada com uma bobagem como aquela?

Ora, você é um ser famélico, uma esquálida figura no Saara, um espectro desejoso de qualquer migalha jogada pelo sexo oposto. E alguém te qualificar como favorita é mais do que uma migalha para o seu estômago vazio: é uma refeição completa!

Você estala os dedos como quem se prepara para uma importante viagem. Aperta o mouse e *bang*! Entra no perfil do dito cujo.

Foto, descrição, detalhes. Sua espinha se curva. Não era exatamente o que você queria. Ele é um lutador de sumô. Sumô mesmo. Muito chique no Japão, aqui não passa de uma característica bizarra.

Não foi dessa vez. Mas quem sabe amanhã? Resta saber agora quanto tempo você levará para chegar a uma conclusão quanto à contribuição da Internet para sua vida afetiva. Pode ser nula, sofrível, péssima, criminosa, regular, boa, ótima ou milagrosa. Por enquanto, mesmo com o lutador de sumô na parada, você ainda aposta no milagrosa.

27
Sentimentos contraditórios

Sua mais recente fixação é passar horas num site de encontros na Internet, fuçando em perfis masculinos. Você procura homens heterossexuais, solteiros, separados ou viúvos, altos ou baixos, magros ou gordos, bonitos ou feios, corcundas ou coxos... Opa, isso se chama desespero ou houve algum engano?

São três da manhã, seus olhos estão ardendo, suas costas doem, seu braço direito está começando a formigar. Ao bater os olhos no relógio, você se dá conta de que está há cinco horas vasculhando, ensandecida, perfis na rede. Sim, sem a menor sombra de dúvida, isso é desespero.

Você está prestes a dar o último clique e sair do site quando um perfil te chama a atenção. Não exatamente o perfil, mas a foto. Era só o que faltava: é o seu ex! E a foto que ele usa na chamada – que ousadia – foi você quem tirou! Seu primeiro pensamento é: "Safado." Seu segundo pensamento é: "Grandessíssimo safado! Procurando mulher, hem?" Seu terceiro pensamento é: "Será que ele descobriu que eu também estou neste site?"

Você se desconecta rapidamente, mas permanece estanque em sua cadeira. Sua reação, ao topar virtualmente com seu ex, foi infantil e inapropriada. Ele não é mais seu parceiro. Ele tem todo o direito de procurar uma companhia feminina num site de relacionamentos ou numa casa de massagem ou num curso esotérico – mesmo ele detestando esoterismo. Ele não te deve explicações.

Da mesma forma, não faz sentido se sentir envergonhada porque ele pode descobrir que você também está à procura de uma nova perna cabeluda para se enroscar.

Houve na sua vida uma separação de corpos, é fato. Mas sua mente retardada age como se você ainda estivesse casada, como se houvesse, agora, algo com o que se indignar (ele procurando mulher) ou algo a ocultar (você procurando homem).

O.k. Não é o fim do mundo. É compreensível ter esses sentimentos contraditórios depois da separação, afinal, durante anos, você catalogou como sendo traição ter o desejo e o movimento de sair com outra pessoa – coisa que vocês dois estão fazendo. Mas agora você pode (e ele também). Você pode. Dizem que três é um número cabalístico. Então, por via das dúvidas, você repete: você pode, você pode, você pode.

Você se levanta, dá uma passada no quarto das crianças, verifica que elas estão profundamente adormecidas, vai para a cozinha, prepara um Nescau gelado, toma, alonga os braços um instante e volta para o micro.

Você se conecta, procura o perfil do seu ex e lhe manda uma mensagem: "Oi, que coincidência, eu também estou por aqui. Então, boa sorte para nós. De verdade."

Você desliga o computador, abre a janela, apaga as luzes.

É uma sensação boa ser uma criatura civilizada.

É uma sensação boa não dever satisfações a ninguém.

É uma sensação boa não ter razão para se sentir traída e, de fato, não se sentir.

Finalmente, sem mantras ou repetições cabalísticas, você se dá conta de que agora pode. Você, a partir de agora, pode tudo.

28
Frágil equilíbrio

Parece que você e seu ex atingiram um ponto de trégua, mais do que trégua, praticamente de boa convivência. Você sabe que ele está procurando uma namorada, ele sabe que você está à procura de um namorado, os filhos têm saído sempre com o pai, dormem com ele uma vez por semana, sua ex-sogra lhe mandou uma colomba na Páscoa, sua nau parece estar indo de vento em popa direto ao planeta civilização. Até que o telefone toca às dez da noite de uma sexta-feira. É o seu ex.

– Você não percebeu nada na Catarina?

– Não, nada, por quê?

– Ela está tendo dificuldade para urinar.

– Dificuldade? Como assim? Dor?

– É, ela diz que dói, que arde para fazer xixi.

– Até hoje de manhã estava tudo bem.

– Notei que a calcinha dela está com um cheiro estranho e com uma secreção amarelada.

– Será que ela está com infecção urinária de novo?

– Talvez. Estranho você não ter percebido nada...

Pronto, seu calo foi pisado. Até então, do outro lado do telefone, havia um pai preocupado com certos sintomas na filha, agora ele era um adversário insinuando que você não cuidava bem da sua filha, não cuidava e não lhe dispensava a atenção devida, caso contrário teria notado a secreção em sua calcinha e o mau cheiro nas suas pequenas partes pudendas. Sim, ele estava dizendo com todas as letras que você é uma mãe relapsa. A insistência, a inflexão da voz dele quando disse "estranho você não ter percebido nada" fizeram o seu sangue ferver. Capaz até que a frase dele insinue algo do tipo: "Em vez de ficar pendurada no computador à procura de um macho, você deveria ficar atenta aos seus deveres de mãe."

– Eu não percebi nada porque não havia nada para ser percebido. Estou te dizendo que, até hoje de manhã, ela estava ótima.

Seu ex percebe o tom alterado em sua voz e suaviza a conversa.

– Talvez tenha acontecido alguma coisa na escola.

Você esboça uma resposta malcriada, mas decide, sabiamente, calar sua boca grande. Então se lembra: é verdade, a escola.

– A areia do parquinho foi trocada, mandaram uma circular avisando que a areia está muito fina e entra mais facilmente dentro da roupa.

– E por que você não me mandou?

– O quê?

– A circular avisando da areia fina. Se eu soubesse teria tirado o uniforme dela assim que nós chegamos.

– Você não tira o uniforme das crianças quando elas chegam da escola?

– Não. Às vezes, não.

– Eu sempre tiro.

– Eu não sou você.

– Quanto a isso não há a menor dúvida.

O clima esquentou. Ele emudeceu. Emergência! Sai uma compressa de arnica, um emplastro de cânfora, um chá de erva cidreira!

– Olha, tudo bem – você diz, conciliatória. – Das próximas vezes, você tira o uniforme deles assim que eles chegarem da escola e dá uma olhada para ver se tem areia ou não. Mas e a Catarina: você acha melhor levá-la ao médico?

– Acho que é melhor, sim.

– Então vamos.

– Você não precisa ir, eu cuido disso.

Claro, ele diz que você não precisa ir só para depois jogar na sua cara que passou a madrugada no hospital enquanto você procurava machos na Internet.

– Eu faço questão.

Uma hora depois, vocês estão no pronto-socorro infantil à espera dos resultados dos exames. Enquanto as crianças se esbaldam com os brinquedos disponíveis, vocês se olham naqueles espelhos que deformam as imagens. Ele se tornou um anão obeso, você, uma gigante esquálida. Pela primeira vez, em meses, vocês dão risada juntos. Há um instante de conforto, quase de amor. No entanto, agora você sabe – e ele também – o quanto o equilíbrio da relação de vocês é frágil. Absolutamente frágil.

29
O cretino está namorando!

Um dia você está passeando no shopping quando encontra, por acaso, um ex-colega de trabalho. Vocês não possuíam uma relação íntima nem inamistosa: ele era simplesmente um cara o.k. Ele te propõe tomar um café. Como você não tem mesmo nada melhor para fazer, aceita. Entre fofocas do trabalho e os conseqüentes comentários maldosos, bem no meio do café, surge o verdadeiro motivo daquela conversa aparentemente desinteressada.

– Você não vai acreditar: sabe quem a minha ex está namorando?

– Nem imagino, Carlos, quem?

– O seu ex.

Você dá um gole mais afoito no café e queima a língua. Fica alguns segundos olhando para a xícara com cara de pateta. Fichas caem lentamente na sua cabeça. Seu ex está namorando a ex do Carlos. Seu ex está namorando. Seu ex está namorando e não te contou nada.

– Como é que é?

– Isso aí que você ouviu: a minha ex está namorando o seu ex. Quando eu te vi aqui no shopping, pensei: "Conto ou não conto?" Podia ser que você já soubesse, mas estou vendo que não. Inacreditável, né?

E depois dizem que homens não curtem uma fofoca.

– Faz quanto tempo?

– O quê? Que eles estão namorando? Um mês.

– Um mês? Ele não comentou nada comigo...

– Ela também não comentou nada comigo, fiquei sabendo por terceiros.

– Qual o nome dela?

– Joyce.

– Você tem certeza de que eles estão...

– Absoluta.

É inevitável: você se sente traída. Traída por não saber que seu ex está namorando, traída por estar sozinha – gastando o mouse em sites de relacionamento, mas, ainda assim, sozinha.

Talvez ele não tenha contado nada porque esteja apenas passando tempo e não queira assumir a relação como sendo importante, talvez ele esteja se vingando de você, talvez ele esteja dando risada pelas suas costas com sua molecagem. Ou talvez... ele simplesmente goste dela e não tenha dividido isso com você porque você não faz mais parte da vida dele! Você é carta fora do baralho.

– Carlos, como é que você está se sentindo?

– Péssimo.

– Meu Deus, eu sinto muito, eu nem sabia... eu... bom, eu não tenho nada a ver com isso!

– Eu sei que não. Mas eu queria te perguntar um negócio.

Você, sem perceber, arranca, com a unha, uma lasca de madeira da mesa.

– Claro, pergunta.

– É uma coisa meio íntima, posso mesmo?

– Pode.

Carlos se aproxima e baixa o tom de voz.

– Como seu ex era na cama? Quero dizer, ele fazia alguma coisa diferente?

Você dá um longo suspiro e sibila.

– Comigo ele nunca fez nada de diferente.

Vocês terminam seus cafés em silêncio, cada um com suas próprias e sombrias elucubrações.

Seu ex tem um lado secreto – secreto para você. Aquele homem com quem você dividiu tudo, até privada – quer coisa mais íntima para ser compartilhada? – está namorando e você descobre isso através de um quase estranho. Algo assim, tão delicado, deveria ser do seu conhecimento, não é? Se vocês não tivessem filhos, a vida particular dele não teria relação alguma com a sua, mas o fato é que vocês têm, e têm dois, e os dois vão acabar conhecendo a fulana – se é que já não conheceram – e se essa fulana vai conviver com os seus filhos, você precisa saber! Seja feirante, sambista ou advogada, seja colunável, balconista ou presidiária, você precisa saber. Certo? Ou será que a sua indignação vem de razões nem um pouco nobres? Será que você está usando a preocupação com seus filhos apenas como uma desculpa para o seu inédito ciúme?

– Carlos, me diz uma coisa.

– Pode falar.

Você pigarreia, se aproxima, e diminui o tom de voz:

– Como é que a sua ex era na cama? Ela fazia alguma coisa diferente?

30
Medéias modernas

Você fecha o livro, chocada. Absolutamente chocada. *Medéia*, a tragédia de Eurípides, é uma das obras literárias mais cruéis de todos os tempos.

Vamos à história: Medéia jamais mediu esforços para favorecer seu amado, Jasão. Após uma série de aventuras, eles se estabelecem em Corinto e, para espanto de Medéia, Jasão, com a cara-de-pau que Deus lhe deu, desposa a filha do rei Creonte.

Então a peça começa: ao saber da traição do esposo, Medéia não levanta a fronte, não tira os olhos do chão, não se alimenta, se abandona à dor, se consome em lágrimas e ouve as consolações dos amigos dura como um rochedo. "Aquele que era tudo para mim, meu esposo, se tornou o mais pérfido dos homens."

Jasão jura de pés juntos à Medéia que seu objetivo, ao se casar com a filha do rei, é dar irmãos reais aos seus filhos (seus dois filhos com Medéia) e, assim, protegê-los quanto ao futuro incerto. Verdade ou não, ela está por demais ferida para ser razoável. E decide se vingar.

Qual a vingança de Medéia? Matar o rei? Matar a nova companheira de Jasão? Sim, ela faz isso. Envenena uma coroa, um vestido e manda de presente para a noiva. Ao tocar nas peças, a moça morre vítima de terríveis padecimentos. O rei Creonte igualmente perece ao tentar ajudar a filha. Mas esse não é o cerne da vingança de Medéia: suas intenções são bem mais terríveis.

Cega pelo rancor de mulher rejeitada, Medéia usa um punhal e assassina os próprios filhos, indiferente a seus gritos infantis. Por fim, exibe, de longe, seus corpinhos inertes para um Jasão em desespero. Ele implora para abraçar os filhos uma última vez e os sepultar, mas Medéia, no arremate de sua vingança, não permite e vai embora.

Você lê essa história e pensa: "Criatura vil e louca, impossível uma mãe chegar a esse extremo." Será? Será mesmo? O que você diria sobre formas metafóricas de matar os próprios filhos? O que você diria sobre as Medéias modernas?

As Medéias modernas usam as crianças como instrumentos de ataque ao ex-marido. Elas insuflam seus filhos contra ele. Elas envenenam consciências infantis com tormentos que pertencem apenas à história de duas pessoas adultas. Não raro, elas conseguem exterminar ou reduzir drasticamente o convívio das crianças com o pai. Essas atitudes, freqüentemente justificadas como proteção, irão cobrar seu preço no futuro. E que preço alto será!

Em seu supremo egoísmo, as Medéias modernas se disfarçam atrás da natural preocupação que mães têm com seus filhos: "Estou fazendo isso pelo bem deles!" A não ser que o ex-marido em questão seja um pedófilo ou alguém com pós-graduação em violência, elas não estão pensando no bem das crianças coisa nenhuma. As Medéias modernas estão fazendo isso por vingança.

É então que você se dá conta de que essa estratégia repulsiva já passou pela sua cabeça. Ao saber que seu ex está namorando, seu primeiro impulso foi achar que precisava proteger seus filhos do convívio com a tal moça (uma moça que você nem conhece), o que implicaria, naturalmente, reduzir os encontros das crianças com o pai. Mas, na verdade, você estava apenas com ciúme, retaliando, criando uma maneira socialmente justificável de punir seu ex. Criatura vil e louca. A Medéia não está tão distante assim, afinal.

31
Nova cruzada

Ótimo. Maravilhoso. Estupendo mesmo. Esse filho de uma égua – por infelicidade seu ex e pai dos seus pimpolhos – está namorando e não teve a decência de te contar. Nem comentar. Nem deixar escapar assim como quem diz que quebrou um naco de dente com um piruá outro dia. Você poderia sondar as crianças, mas isso seria um golpe baixo: seus filhos, definitivamente, não serão usados como fonte de informação, não entrarão como espiões involuntários nessa guerra debilóide. Você é adulta, ele também.

Você tem duas opções: ou bota sua indignação para fora, com tato, de preferência, ou continua com cara de paisagem e, por dentro, morrendo de raiva dele. Seu orgulho pede a segunda, mas seu desejo de harmonia escolhe a primeira opção.

Sim, você quer estar bem com o seu ex, ter uma boa relação com ele, uma relação amistosa e tranqüila. Você só não sabia que teria de construir essa relação. Você achava que o relacionamento entre os ex se dava por osmose, ia acontecendo, morno, inevitável, possível e que, depois da separação, não havia mais nada a ser feito. Você achava que todo o trabalho terminava com a assinatura dos papéis do divórcio. Não é nada disso: se você não arregaçar as mangas, essa tal relação amistosa, sinceramente amistosa, nunca vai existir. Você se meteu numa nova cruzada.

Uma ocasião propícia não tarda a aparecer: seu ex veio pegar as crianças no domingo para o aniversário de uma priminha deles. Seu filho acabou de voltar do playground e entrar no banho. Você aproveita para tocar no assunto à sua maneira:

– Eu soube que você está namorando.

Seu ex titubeia e diz:

– Quem te contou?

– O Carlos.

– Que Carlos?

Ih, será que ele sabe que a namorada dele, até pouco tempo atrás, era namorada de um outro homem chamado Carlos? Um gosto de veneno amarga sua saliva.

– Ora, que Carlos... O Carlos, ex-namorado da sua namorada, da Joyce.

Seu ex fica branco como uma folha de papel.

– Ah, esse Carlos... Sei. Nossa, como o mundo é pequeno.

Finalmente sua porção humana acorda.

– Olha, não precisa ficar sem graça, eu só queria que você soubesse que eu sei, que você não precisa me esconder isso, mesmo porque eu iria ficar sabendo de qualquer maneira, as crianças vão conviver com ela e...

Seu ex te interrompe, um tanto exaltado:

– As crianças não vão conviver com ela!

Você adora a reação do seu ex, mas finge o contrário.

– Como não? Se ela é sua namorada, um dia...

– Não é um namoro sério, nem um pouco. O dia em que for sério, eu mesmo te conto.

Você vê uma luz no fim de túnel e resolve dar mais um passo na sua nova cruzada em direção a uma boa convivência com seu ex.

– Quando eu estiver namorando sério, vou te contar também, assim não haverá mal-entendidos entre a gente, tá bom?

Seu ex arregala os olhos, altera um pouco a voz e pergunta:

– Por que você diz isso? Você está saindo com alguém?

Namoro e naturalidade são palavras que demoram a habitar a mesma casa depois de uma separação. Mas, como tudo na vida, só o exercício criará o costume. Essa história ainda vai longe.

32
Ciúme

Você ainda está casada e vai ao teatro com o seu marido. Durante a peça, você percebe que ele não tira os olhos de uma específica área do palco, mesmo que a ação principal se desenrole em outra parte. Você estranha sua atitude, aguça os sentidos e descobre: seu marido não tira os olhos de uma certa figurante, menina insípida, loira aguada, de vinte e poucos anos.

Ao terminar a peça, você vai ao banheiro – existem algumas funções biológicas que não podem ser adiadas – e, quando volta, não vê seu marido no hall, onde ele deveria estar te esperando. Talvez ele também tenha ido ao banheiro, mas você decide que não vai esperar.

Você sacode os cabelos e sai em seu encalço pelo teatro já meio deserto. Sem pudor vai entrando na coxia e encontra, num canto mal iluminado, seu marido beijando a tal menina insípida, loira aguada, de vinte e poucos anos.

Você estanca um momento. É o susto. Depois, cega por uma rubra substância fluídica mais conhecida como ciúme, você investe contra o casal a sopapos e pontapés. Consegue acertar um tapa fenomenal bem no meio da cara da tal menina insípida, loira aguada, de vinte e poucos anos.

Entre imprecações e xingamentos, você desanca seu marido, seu casamento, todos os casamentos, a insípida loira aguada de vinte e poucos anos, todas as insípidas loiras aguadas de vinte e poucos anos e, de quebra, a classe teatral do planeta.

Seu marido a arrasta para fora e te coloca dentro do carro, não sem levar ele próprio uns ardidos safanões e unhadas. No meio daquele fuzuê, as rodas do seu carro se travam numa grande avenida, seu marido não consegue retomar o controle do carro que atravessa a pista e se incrusta num muro.

Zonza, sangrando profusamente na testa e com fratura exposta na perna direita, você continua a xingar e bater no seu marido que, desmaiado, não te escuta mais. Então você acorda. Sim, era um pesadelo. Mas de modo algum um pesadelo qualquer.

Você, pretensamente, pensou que alcançara aquele ponto civilizado no qual já é possível até jantar com a atual namorada do seu ex. Mas um sonho, um pesadelo, te mostrou o quanto você está fingindo, o quanto quer acreditar que isso não te incomoda.

Sua civilidade é mentira. Mentira. Mais uma vez: o ciúme e o desconforto podem ser ridículos, podem ser desproporcionais, podem ser injustos e fora de propósito, mas eles são seus. É o que você está sentindo, é a resposta emocional que você consegue ter agora. São sentimentos legítimos, tão legítimos quanto a compaixão por um recém-nascido abandonado num banheiro público.

Você se senta na cama, acende a luz e sente as mãos ainda tremerem como se você realmente tivesse descontado sua raiva no seu ex de maneira física e amplamente audível. E agora, menina? O que você faz com essa batata quente nas mãos? Ligar no meio da madrugada para o seu ex e cobrar essa conta – que é sua – não faz o menor sentido. No entanto, ignorar seus sentimentos também não parece ser a melhor coisa a fazer.

Dois dias se passam – e o sonho ainda te incomoda, tão intenso foi. Ao encontrar seu ex no vai-e-vem das crianças, você pede a ele cinco minutos. Ele estranha, mas prontamente concede. Na sala, você respira fundo e diz:

– Olha, tem um lado meu que aceita bem você estar namorando, mas tem outro lado que se incomoda. É meio esquisito ver alguém que até tão pouco tempo era meu, sendo de outra, dá para entender?

– Dá, sim.

– Eu só queria te pedir, então, que você continue sendo discreto quanto ao que você faz da sua vida amorosa, porque para mim ainda é estranho isso tudo. Deixa eu ir me acostumando aos poucos com essa situação nova, tá bom?

Seu ex permanece alguns instantes em silêncio, olhando para o carpete. Por fim, pigarreia e arremata:

– Também não é fácil para mim saber que você está procurando um namorado pela Internet.

Pois é. Transição é um pântano movediço cuja única corda de segurança disponível é uma conversa franca. Uma conversa franca a cada dia.

33
Traí, sim

Seu ex está namorando. Ele diz que não é sério, mas isso não importa: o fato é que ele está namorando. E essa notícia te causou, além de um certo ciúme... alívio. É, alívio. Um estranho alívio. Como assim? Enquanto você sofria largada numa cama, deprimida até o último pêlo encravado, ele iniciava um novo romance e isso fez você se sentir aliviada? Sim, fez.

A razão é simples. Sem eufemismos, o.k.? Você o traiu numa ocasião. E isso não é um *mea culpa*. Você não se arrepende. A verdade é que você seria capaz de repetir aquela noite uma centena de vezes.

Foi no ano passado, numa das vezes em que você foi a trabalho para o Rio de Janeiro. Durante o café da manhã no hotel, você, que detesta acordar cedo, mascava um pão de queijo sem muito ânimo, quando ouviu uma voz grave chamar seu nome. Virou-se e deu de cara com ele. Ele, um ex-namorado da época do cursinho. "Olá", "como vai", "quanto tempo", "você por aqui", "trabalhando", "que coincidência agradável". Ele estava morando em Brasília com a mulher e os filhos e iria embora na manhã seguinte. Vocês marcaram de jantar, para relembrar os bons tempos em que ambos eram solteiros. Foi ele quem disse isso:

– Vamos jantar e lembrar os tempos em que a gente era solteiro?

– Sim – você respondeu.

Como as crianças dentro do foguete no programa do Sílvio Santos, sua alma sequiosa de aventura repetiu: "Siiiiiiiiiim!"

À noite, vocês foram a um lindo bistrô na Praia Vermelha. Depois de muito vinho, ele te beijou. E você sentiu todos os fogos de artifício espocando em você. Borboletas no estômago. Pirilampos nos rins. Vaga-lumes mais embaixo. O primeiro pensamento foi: "Meu Deus, eu estou beijando outro homem." O segundo foi: "Dane-se!"

Vocês voltaram ao hotel sem nenhuma dúvida do que viria a seguir. E veio. E como veio. Veio à noite toda, de todos os jeitos, entremeado por muito olho no olho e conversas carinhosas sem sair da cama. Enfim, aquela coisa toda que a gente costuma fazer no início do namoro e que depois já não tem a menor graça.

Quando ele saiu do seu quarto, às seis da manhã, você não se sentiu rejeitada. Ele tinha um avião a pegar, um horário a cumprir. A vontade dele certamente era ficar o resto da manhã e da tarde naquela cama junto a você. Ele mesmo disse isso. Se foi por educação ou sinceridade, não importa: ele disse.

Você ainda ficou mais dois dias no Rio, o que foi bom, pois pôde deixar suas pestanas piscarem languidamente ao sabor das lembranças frescas sem que ninguém a perturbasse com desconfianças.

Ao chegar ao aeroporto da sua cidade, você pensou que talvez pudesse sentir algum remorso ou desconforto diante do seu marido. No entanto, ao entrar em casa e lhe dar um beijo, você não sentiu absolutamente nada. Nem culpa, nem vitória. Nada. Eram dois compartimentos independentes: ele e o outro. Foi então que você teve certeza de que seria capaz não só de ter um caso extraconjugal, como também de mantê-lo por tempo indeterminado.

Mas se você seria capaz de manter um caso e até desejava isso – se aquele homem não morasse em Brasília, você certamente o teria procurado para um segundo encontro –, o que exatamente você sentia pelo seu marido? Carinho? Amizade? Sensação de comprometimento e dever? Mas isso é o bastante para um casamento existir? Você supôs que sim.

Você decretou que o tédio no seu casamento era irremediável e, com ou sem amantes, deveria ser suportado. Dessa forma, você resolveu esquecer que aquela foi uma noite ótima. Você tentou abafar a sede que sentia de uma vida descompromissada – descompromissada do seu marido e comprometida com outro, isso, sim.

Você varreu isso para debaixo do tapete e continuou sua vida morna e sem graça. Até que, do marasmo vocês caíram na crise e, da crise, na inevitabilidade da separação. O resto é história. Agora, ao ficar sabendo que seu ex já saçaricava por aí enquanto você tomava antidepressivos, algum resquício de culpa que não chegou a vir à tona foi aplacado. Foi como se você recebesse o troco e, agora, sim, só agora, estivesse amplamente livre. A cabeça da gente é mesmo um amontoado de entulhos. Estranhos entulhos.

34
Sexo

A fase em que você se fez de vítima para você mesma passou. Você não aponta mais o dedo para o seu ex como se ele fosse o culpado mor dessa história. Apesar de toda mágoa, raiva e dor, você sabe que foi tão responsável por essa separação quanto ele. E sua contribuição não foi nada pequena para que tudo degringolasse entre vocês. Ela não foi pequena, embora possa ser resumida num único ponto: sexo.

A verdade é que, a partir do terceiro mês de namoro, seu interesse por aquele jovem de cabelos revoltos caiu incrivelmente. Transar ou não com ele não fazia diferença – a não ser que você estivesse ovulando, período em que treparia até num porco-espinho.

Bem, então faça as contas: de um lado são três meses de namoro com a libido funcionando a todo vapor, do outro lado estão dois anos de namoro e sete de casamento. Como você pôde ficar oito anos e nove meses com alguém sem ter lá muita vontade de transar? É óbvio que aí já havia um problema, digamos, estrutural na relação. Então como vocês dois puderam se enganar tanto e durante tanto tempo?

A resposta parece cínica, mas não é: vocês se davam bem. Vocês tinham tantos encaixes, mas tantos, que o sexo parecia um detalhe. Para ser mais exata, não é que vocês não se encaixassem sexualmente, o problema era a freqüência desse encaixe. A baixíssima freqüência desse encaixe: basicamente uma vez por mês, quando você ovulava, período em que treparia até num porco-espinho.

Houve um momento, depois de um ano e meio mais ou menos, em que seu ex tocou no assunto. Sim, ele percebeu o problema muito antes de você e colocou a questão com todas as letras na mesa. Mas, na época, você estava tão focada em se casar e ter filhos e cumprir todo o esquema supostamente obrigatório para uma mulher que só faltou você espancá-lo com o olhar: "Como assim, existe um problema na nossa vida sexual?"

Diante das fagulhas que saíam dos seus olhos e da eterna verdade "nós temos tantos encaixes", ele achou melhor deixar aquele assunto para depois: talvez fosse apenas uma fase. E assim ele (e você) se escorou em desculpas: talvez seja o estresse do casamento, talvez seja o estresse da primeira gravidez, talvez seja o estresse do primeiro filho, talvez seja o estresse de voltar a trabalhar, talvez seja o estresse da segunda gravidez, talvez seja o estresse do segundo filho, talvez seja o estresse da macarronada fria, do programa de domingo, do carro quebrado, da unha encravada, do tempo chuvoso, da barata que apareceu na cozinha mês passado!

Então, um dia ele disse, ele tomou a atitude, ele mexeu no vespeiro. Se você for realmente justa, verá que ele não é um Hamlet absoluto, um homem que não consegue tomar uma decisão: seu ex decidiu te confrontar uma, duas, três vezes. Ele foi verdadeiro, você não.

Você não queria saber, não queria ouvir, não queria que alguém te lembrasse que você não vivia como uma mulher inteira, uma mulher que olha para o homem dela e tem desejo e tem vontade. Você não queria enxergar a semicastração em que se enfiara em nome da manutenção do status de casada. Mas ele foi forte o bastante para, mesmo amando você, dizer: "Eu não estou feliz assim."

Naquelas oportunidades você o crivou de clichês: "os homens são todos iguais", "vocês só pensam em sexo", "vocês são uns egoístas", "eu aqui me matando para cuidar das crianças e você só preocupado em transar".

Tudo fuga, tudo desvio, tudo medo. Seu medo de se confrontar com o seu desejo. E seu desejo era sair de casa e, em uma semana, transar com sete homens diferentes. Seu desejo era arrastar aquele seu colega de trabalho para o motel. Seu desejo era dar em cima do filho da vizinha. Seu desejo era lamber peles e pêlos diferentes – e não só no período da ovulação, quando você treparia até em porco-espinho.

Você amarrou, amordaçou e trancou seu desejo num porão escuro, na esperança de que ele morresse sem fazer alarde. No entanto, a cada estação preso, não só ele não morreu, como a força dele aumentou à medida que a fome crescia. E quem teve a ousadia de destravar esse porão, não foi você: foi seu ex. Agora me diga: Quem, nessa história, foi realmente covarde?

35
Um dia de piscina

Um dia de piscina. Você quer ter um dia de piscina. Você merece um dia de piscina. Mas o que é isso afinal?

Quando criança, os melhores dias das férias eram os dias em que a piscina da escola ficava aberta e você passava tardes inteiras sob o sol morno, mergulhada na água igualmente morna, leve, sem peso. Às vezes chovia e pingos frios salpicavam no seu rosto, como alfinetes de gelo que contrastavam com a temperatura da piscina.

Sozinha, classificando as nuvens pelo seu formato, ou em grupo, jogando bola, sob o sol ou sob a chuva (ou os dois), boiando ou fazendo campeonatos de fôlego debaixo d'água, aqueles foram dias de um prazer sensorial irretocável. Sua sexualidade infantil encontrou a exata expressão no tempo daquela piscina: a água era sua cálida amante. Ao anoitecer, você tomava um longo banho no vestiário, tirava o cloro dos cabelos e voltava para casa ainda flutuando. Agora, adulta, você rotula um dia perfeito, dia de irretocável prazer sensorial, como sendo "um dia de piscina".

São duas da manhã de uma sexta-feira abafada. Você está sozinha, em frente ao computador. Sozinha e ansiosa. Juntando o tempo em que você já está separada, mais o tempo em que seu casamento desmoronava, mais o tempo em que sua relação andava morna, mais o tempo que você estava envolvida com gravidezes, bebês e seus respectivos cuidados (mais envolvida do que o normal, justamente para fugir da constatação de que seu relacionamento não ia nada bem das pernas), juntando tudo isso, faz mais de seis anos que você não tem um dia de piscina.

O prazer sensorial infantil de outrora adquiriu um caráter explicitamente sexual e afetivo. Os líquidos nos quais você quer mergulhar hoje são outros. Em bom português: você precisa de um homem. Um vigoroso, bonito, inteligente e doce macho humanóide com tanto desejo por você que até se sinta febril ao te beijar. Um homem cuja conversa não a entedie. Uma criatura sexual que a desconcerte. Um ser afetivo pleno que, entre uma encoxada e outra, te diga que seu sorriso é lindo.

Mas os homens da Internet, os homens do site de relacionamentos no qual você entrou, parecem todos umas virgens pudicas. Você achou que seria fácil tomar um café com alguns desses caras – ora, um café é só um café –, mas não. Eles marcam e desmarcam, dizem que sim, depois que não, conversam e desconversam, são piores que donzelas encasteladas – e isso está te deixando realmente aborrecida.

Você tentou até mesmo abaixar seu padrão, escrevendo para homens que antigamente não conseguiriam de você sequer um aperto de mão, mas foi inútil. Eles também estão encastelados na idéia de que, se você conversa com seis mulheres pela Internet, você tem essas seis mulheres nas mãos.

Mentira. Você não tem ninguém, não beijou ninguém, não se relacionou com ninguém, não se mostrou de fato a ninguém e ninguém sentiu o seu cheiro – se houver ainda alguma dúvida, isso é o que faz uma mulher transar com um cara. Eles, encastelados. Você, de saco cheio.

Nessa madrugada quente de sexta-feira, especialmente nessa madrugada quente de sexta, seu dia de piscina, seu desejado, necessário e vital dia de piscina, parece estar cada vez mais distante. É, os tempos continuam bicudos.

36
Uma mulher fácil

Algumas das suas, digamos, conhecidas – a maioria, para falar a verdade – estão separadas. Por que conhecidas e não amigas? Porque elas não são amigas e você gosta de dar nomes aos bois, mesmo que eles não sejam exatamente simpáticos.

Bem, lá está você no almoço de aniversário de uma dessas conhecidas, quando ouve o seguinte diálogo entre duas mulheres na faixa dos quarenta.

– Finalmente nós marcamos de nos encontrar.

– E aí? Como foi?

– Ai, foi maravilhoso! Nós saímos para jantar, depois ficamos conversando, eu disse tudo o que eu estou procurando num homem, ele concordou com tudo e depois me deixou em casa sem aquela conversa cafajeste de "não vai me convidar para subir?"!

– Ah, jura? Que fofo!

– Superfofo! É o fim da picada esses caras que pensam que a gente é fácil!

– Nem me fala! Mas... e aí? Rolou beijo?

– Um selinho. Ai, eu amei o encontro. Será que ele é minha alma gêmea?

Se qualquer pessoa ou animal olhasse para sua cara naquele momento veria um gigante ponto de interrogação. Você sai da mesa – naquele conclave de doidas ninguém percebe sua ausência –, vai até o banheiro e se olha no espelho. O que você vê? O quê?

Senhoras e senhores: uma mulher fácil! Sim, você é uma mulher fácil – e se orgulha disso. É incrível como mulheres que já passaram, e muito, da adolescência se comportam como se fossem virginais, inocentes e retardadas moçoilas. Se você sair com um homem que te atrai e ele não sugerir, no mínimo, um amasso convincente depois do encontro, você ficará bastante decepcionada.

Qualé! Você não tem mais quinze anos para ficar de mãozinha dada no parque – embora isso possa ser interessante. É bonito ter desejo, é nobre assumir o desejo, é vitalizante saciar o desejo. E isso não tem nada a ver com ser agressiva: você é uma mulher carinhosa, é delicada e é fácil. Você é fácil para si mesma.

No entanto, suas conhecidas têm um comportamento hipócrita, duplamente hipócrita: elas mentem para o outro e mentem para si mesmas. Um encontro cujo saldo é um selinho é algo satisfatório? Selinho a gente dá na Hebe, minha filha! E algum homem no mundo permanece interessante depois de ter sido classificado como "superfofo"?

Qualé! Se sua conhecida tivesse vergonha na cara, estaria chorando do papel de imbecil que fez. Você poderia dizer a ela: "Meu amor, seja uma mulher fácil! Seja fácil para os seus desejos, para as suas necessidades, seja fácil para você mesma! Isso não significa sair por aí transando com todo mundo, mas sim aceitar seu desejo e, com responsabilidade, satisfazê-lo, à medida que ele for bom para você. Você pode dizer não ou sim, contanto que seja você quem diga isso e não o senhor preconceito (seu e dos outros). Então, seja fácil para si mesma e seja feliz, mulher!"

Você começa a dar risada sozinha no banheiro. Ao voltar para a mesa, percebe que as duas comadres continuam ainda falando do tal encontro. Com os ouvidos aguçados, você pesca o chavão:

– Quando será que ele vai me ligar?

Você levanta os olhos pro céu e pensa em dizer: "Nunca. Ele não vai te ligar nunca porque ele saiu com uma mulher de quarenta e encontrou uma bozolina de doze."

Mas você sabe que seria inútil dizer qualquer coisa, por isso permanece calada. Ela, infelizmente, não é uma mulher fácil.

37

Nós, que não somos como as outras

Para Clarah Averbuck

Você vai ao supermercado, elas estão lá. Vai ao cabeleireiro, elas estão lá. Você sai à noite, elas estão lá. Cacarejando. Cacarejando, não, porque são galinhas, esses nobres seres, mas, sim, porque são fúteis. Eu me refiro às mulherzinhas.

Você já topou com uma, aposto. Uma, não, várias, pois essas criaturas andam em bandos, na maioria das vezes em duplas. Quer ver?

Estamos numa casa noturna qualquer, tanto faz, já que mesmo nos ambientes mais gostosos as mulherzinhas se infiltram sem pudor. As mulherzinhas se infiltram em todas, todas, todas as áreas. Ali está uma delas. Ela empina o bumbum, ajusta o decote, joga a cabeleira, se acha a última Coca-Cola no deserto.

Um daqueles caras, com copinho na mão e olhar ansioso para catar alguém, se aproxima dela, fala alguma gracinha ao pé do ouvido, ela ri e cochicha com a amiga. Ele diz outra coisa, ela dá de ombros, faz cara de quem comeu e não gostou, levanta o queixo e pega uma bebida.

Mulherzinhas bebem, mas não muito. Mulherzinhas fumam, mas não muito. Mulherzinhas dançam, mas não muito. O cara continua com seu xaveco e ela, ora solta risinhos, ora faz caretinhas.

Mulherzinhas funcionam no diminutivo. E suas vozes infantis se projetam cheias de glissandos. Ela resolve ir ao banheiro com a amiga, volta com o gloss brilhando e os peitos ajeitados dentro do wonderbra (um sutiã que levanta e empina até teta de vaca centenária).

Ela joga o cabelo pra lá e pra cá – mulherzinhas precisam ter cabelo comprido (não é uma questão de querer, é uma necessidade) e não o cortam mesmo quando as madeixas estão maltratadas, horrorosas, pedindo desesperadamente uma tesoura. O cara tenta beijá-la, mas ela desvia o rosto, ele tenta abraçá-la, mas ela sai fora do abraço, ele tenta mexer no seu cabelo, mas ela deita a cabeça no ombro da amiga, e faz tudo isso sorrindo aquele sorrisinho exasperante.

Por absoluta falta de paciência, encurtemos essa narrativa dizendo que, lá pelas tantas, quando o cara está exausto, a mulherzinha lhe concede um beijo. Dois ou três antes de ir embora. No máximo uma encoxadinha ali no canto e olhe lá! "Está pensando que eu sou o quê?"

A mulherzinha se faz de santa e tem um prazer sádico em humilhar os homens. Mesmo já sabendo, desde o primeiro bater de olhos, se ela vai ficar ou não com o cara, a mulherzinha o mantém em suspense – e nem precisa ser bonita, a canalha. Aliás, na maioria das vezes, não é. Desejando-o ou não, ela faz o mesmo jogo, para se sentir gostosa, e ai de quem chamá-la de dominatrix. Ela nem sabe o que é SM (sadomasoquismo), embora seja uma sádica de primeira.

A mulherzinha não está nem aí para os sentimentos dos homens, mas vive esganiçando que são os homens que não ligam para os seus sentimentos. A relação que a mulherzinha trava com os homens, mesmo quando se casa com eles (principalmente quando se casa com eles), é de tortura e mutilação. A mulherzinha se faz de difícil para um cara legal, mas vai se arregaçar toda para o primeiro cafajeste que a ignorar.

A mulherzinha não se separa, jamais. Ela cobre a cabeça com um véu e vai à missa antes de se jogar na cama do seu amante, normalmente um tipo desclassificado. A mulherzinha te aponta na rua e diz: "O marido largou essa aí. Aposto como ela não fazia torta de maçã nem carinho decentemente." A mulherzinha te condena, porque você é livre e ela, não.

Você fala tudo isso para uma das suas melhores amigas – esta, sim, é amiga, não conhecida. Então vocês pedem mais dois hambúrgueres e pensam, juntas: "Nós detestamos mulherzinhas. Por quê? Porque nós, que não somos como as outras, temos de penar por causa dos traumas e condicionamentos que elas deixam nos caras legais. Porque nós, que não somos como as outras, temos de ficar explicando e explicando à exaustão nossas claras e honestas intenções – e mesmo assim não somos compreendidas. Porque nós, que não somos como as outras, tatuamos essa frase na pele para afirmar, com tinta e sangue, que nós jamais, jamais, jamais seremos mulherzinhas. E, ainda assim, nós, que não somos como as outras, sabemos: vamos continuar a sofrer justamente – ou injustamente – por isso."

As mulherzinhas sofrem, mas não muito. As mulherzinhas sentem, mas não muito. Em compensação, as mulherzinhas gozam, mas não muito.

38
Motel

O grande e pesado portão de ferro do motel se abre. Não, você não quer sair dali, mas é preciso. Ao embicar seu carro na rua, você é jogada de volta à vida comum.

Espera um pouco: como assim, comum? Comum nada! O céu esbranquiçado despeja sobre os carros uma luminosidade opaca e a poluição rasga as narinas com um pouco menos de rudeza, suavizada que foi pela chuva intermitente da noite. Uma manhã linda, senhoras e senhores, absolutamente divina!

Assim que você deixa aquele um metro e oitenta e sete centímetros de homem na porta do estacionamento do shopping – onde o carro dele havia ficado preso na noite passada –, você pisa no acelerador mais fundo que de costume e, com uma profunda reverência, agradece a Deus.

Oh, sim! A gente não deve agradecer apenas quando se cura de alguma doença ou escapa de um perigo: catorze horas de um encontro intenso e absoluto (carne, unha e alma) merecem ser agradecidas, profundamente agradecidas. Então você agradece. Se fosse católica, acenderia velas, se fosse macumbeira, faria um despacho, mas, como é kardecista, você se limita a enviar a Deus um pensamento comovido.

Uma adolescente leria isso e diria: "Que exagero!" Exagero coisa nenhuma. Ela não sabe o que é passar anos num casamento inicialmente morno, depois em crise e, mais tarde, amargar meses e meses de um inferno que não parece arrefecer: a separação. Depois disso tudo, depois da terra desolada pela guerra, é preciso plantar, reconstruir, mas como, se você está sedenta? Primeiro você precisa encontrar uma perna cabeluda que esteja disposta a lhe causar arrepios – e que de fato cause. A tal adolescente não tem a menor idéia do quanto é difícil encontrar alguém por quem você se sinta imediatamente atraída e confortável. Tão atraída e confortável que, após três horas num café, a continuação do papo num motel mostra-se a mais natural das decisões. E você viveu esse milagre.

Aquele homem te apertou como se você fosse propriedade dele, e te beijou como se a Terceira Guerra tivesse estourado e ele estivesse embarcando para uma longa e incerta temporada de lutas longe da sua boca, e ficou olhando deslumbrado para o seu rosto.

Você, por algumas vertiginosas e estupendas horas, se sentiu amada. Não, você não está falando aqui só de prazer físico, coisa fácil de conseguir e nem sempre satisfatória. Este homem, um homem cujo próximo telefonema você vai esperar ansiosamente, conseguiu fazer você se sentir amada. E livre das inibições e dos pudores de menina que tanto te incomodam.

Você só não pára o carro e chora agora porque não está acostumada a chorar de alegria.

39
Mandingas da Lady Murphy

Hoje faz exatos nove dias que você saiu com aquele monumento, aquele lenhador nórdico, aquele jardim de delícias e... nada dele, nenhum sinal de fumaça.

Nove dias. Nove noites. Duzentas e dezesseis horas. Quando chegar o décimo dia, ou seja, amanhã, você perderá as esperanças de vez. Não, não perderá coisa nenhuma e por um motivo simples: porque você é uma besta, burra, estúpida, cretina, idiota, anta, múmia paralítica, cabra zarolha, macaca desdentada e tontolona do asilo. Só por isso.

As mulheres costumam tecer mil teorias sobre o silêncio, o branco, o nada no qual os homens nos mergulham após um encontro. Será que o ritmo dele é mais lento? Será que ele está com medo de se apaixonar? Será que o fato de eu ser uma mulher independente o assustou? Será que ele está dando um tempo para me testar? Para ver se eu não sou do tipo que pega no pé?

Nana, nina, não. Nenhuma das anteriores. Ele não liga, não te escreve nem te manda uma porcaria de um torpedo por um motivo tão verdadeiro quanto terrível: ele não está a fim de você, querida! Talvez tenha estado um dia, talvez tenha dito que aquela foi uma das melhores noites da vida dele, talvez tenha afirmado convicto que, sim, da próxima vez ele te levará a um motel incrível cheio de tatames para vocês rolarem pelo quarto todo, mas era mentira. Ou nem era mentira naquele momento, mas agora é.

Vê se enfia uma coisa na cabeça: nenhum homem, por mais ocupado que seja, deixa de arranjar tempo para sair com alguém que lhe interessa. Se o terrorista mais procurado do mundo disser para você "ando meio corrido", isso significa: você dançou, já era, larga do meu pé.

Homens são covardes. Guerras eles fazem bem, mas dizer a uma mulher que não querem mais vê-la é, para eles, uma montanha de proporções intransponíveis. É você quem vai ter de se tocar e, se ainda não se tocou, aí vai meu conselho: silêncio é sinônimo de rejeição, sim. E nove dias de silêncio, nove incontáveis dias de silêncio da parte dele, significam terra e cimento sobre o seu caixão, soam como uma marcha fúnebre na sua missa de sétimo dia, representam seu corpo inerte posto sobre uma jangada num rio hindu enquanto um pescador macérrimo ateia fogo sobre ele. Você já era.

O clima, portanto, é de desespero. E você resolveu apelar. Para afastar o terror do décimo-dia-sem-notícia, ou seja, da averbação de que você foi posta de escanteio, você faz umas mandingas para provocar a maldita Lady Murphy (a criatura tanto te persegue que já ganhou vida, sexo e nome).

Por exemplo, bastava você estar abundantemente menstruada, sua depiladora ter entrado em férias e aparecer uma espinha monstro no seu queixo para aquele cara te ligar no esquema "vamos sair agora". Aquele mesmo, por quem você seria capaz de arrastar três vagões de trem com a ponta do canino. Era a Lady Murphy te visitando sem qualquer vergonha.

Mas agora a situação é emergencial e você vai recorrer aos seus serviços. Primeiro você aproveita uma ardência de nada nas partes pudendas, compra um creme vaginal (daqueles que é preciso usar catorze dias seguidos) e começa a aplicar. Depois, você pára de se depilar e joga fora o aparelho de barba quebra-galho. Vai ao cabeleireiro e pede para ele cortar mais curto que de costume e fazer mais luzes que de costume: o resultado faz você ter vontade de se enfiar num barril e só sair dali a dois meses. Você bota na lavadora todas as suas lingeries bonitas, só restando na gaveta as calçolas de algodão bege, daquelas folgadas que vão da bunda até acima do umbigo. Compra mil salgadinhos e chocolates e pizzas de catupiry e come tudo, até ficar com a barriga bem inchada. E depois toma um comprimido Xenical. Pronto! Tudo perfeito para não sair com ninguém – a não ser que a Lady Murphy entre em ação...

Nisso toca a campainha, é uma amiga sua, das que têm intimidade para te ver em farrapos, afinal, você está um farrapo humano. Sua amiga tenta te animar, diz que trouxe um presente – e que espera que você o use logo. Você abre o embrulho: são três camisinhas. Não, não e não!

Sua mandinga para atrair a Lady Murphy foi por água abaixo. Agora que você tem camisinhas nas mãos – a única coisa realmente necessária para transar – nada, absolutamente nada vai acontecer! Como diria a hiena do desenho: "Ó vida, ó azar, ó sofrimento!"

40
O terrível aniversário das crianças

Por coincidência, seus dois filhos fazem aniversário no mesmo mês, dessa forma, o bufê infantil abriga sempre uma festa dupla – e, o que é melhor: um gasto único e uma só noite de aporrinhação.

Sim, não vamos dourar a pílula. Tem coisa mais chata do que aniversário de criança? Existe tempo mais perdido do que esse que passamos comendo bolinhas de queijo e chamando pequenos monstros – são isso o que eles são – de gracinhas?

Além de você detestar aniversário de criança – sobretudo o das suas crianças, do qual você não pode escapar –, este ano a situação é ainda mais desconfortável. Se você pudesse, atrasaria o calendário em seis meses, no mínimo, mas é impossível. Não há nada a fazer senão vestir a armadura e enfrentar o combate.

Essa será a primeira festinha depois da separação e você está apreensiva: algumas saias-justas podem pintar.

Você terá de rever todos os parentes dele, inclusive aqueles que te xingaram, que te apunhalaram pelas costas, que te surpreenderam com um ódio muito bem disfarçado anos a fio.

Você terá de encarar os olhos de censura das cunhadas e cunhados, tios e tias, primos e primas cuja relação com você não se manteve, até para que a separação se efetivasse com o mínimo de fofocas e trança-tranças.

Por fim, você terá de encarar a namorada do seu ex-marido, ao vivo e em cores, agarrada no cangote que um dia já foi seu. Dureza.

Quem sabe se você se disfarçar de Emília ninguém vai te reconhecer? Será melhor encarnar a Cuca? Não, melhor mesmo é alugar a fantasia do Marquês de Rabicó: quando os convidados quiserem saber onde está a mãe das crianças, você acena de dentro daquela imensa cabeça cor de rosa (o buraco escuro do sorriso dele protegerá suas caretas de nojo).

O.k., brincadeiras desesperadas à parte, você tem um plano – uma ocasião como essa não te pegaria desprevenida. O plano envolve sua prima Cátia e seus três filhos – na verdade é o mais novo deles, um bebê de seis meses, quem vai te salvar a pátria. Você ligou para sua prima e se ofereceu para levar os três ao aniversário, se ofereceu especialmente para tomar conta o tempo todo do bebê Tiago.

Cátia, que confia bastante em você, quase chorou de alegria ante a possibilidade de poder passar algumas horas livres – e liberou as três crianças. Maravilha! Um bebê de seis meses vai te tomar todo o tempo e te salvar das situações mais constrangedoras. Quando a coisa apertar, você se safa com um simples: "Preciso trocar a fralda do Tiaguinho."

É ou não é uma idéia de gênio? Se você tiver uma festa inevitável – e desagradável – pela frente, arranje um bebê! Ou alugue um, sei lá. Bebês são justificativas para tudo, inclusive ficar a festa inteira no berçário ninando o pequeno ditador – que é exatamente o que você pretende fazer.

O telefone toca. Seu ex liga justamente para tratar dos detalhes da festa. Bufê escolhido, certo. Despesas divididas, certo. Data de pagamento, certo. Então seu ex vem com uma proposta surpreendente:

– Acho que a gente pode fazer o aniversário só para as crianças. Não há necessidade dos adultos irem, os monitores dão conta deles. A gente pode alugar um microônibus para pegar e levar as crianças, elas moram todas por aí mesmo. E isso fica mais barato do que pagar a consumação de todos os adultos que iriam acompanhar as crianças. Assim a gente também libera a família, sabe? Faz a festa só para a molecada mesmo. O que você acha?

– Eu acho ótimo! – você diz. E imediatamente pensa: "E agora, o que é que eu faço com o bebê?"

41
Milagre

É sempre assim. Basta você separar a roupa para sair com alguém, deixar calcinha minúscula, aquele sutiã especial, saia preta, blusa, sandália sexy, colares, tudo separado sobre a cama, à espera do encontro que virá, para que o tal encontro vá para o espaço.

Se você deixar a roupa arrumada, é batata: você vai dançar. No mau sentido.

Uma das sensações mais frustrantes que você já experimentou, e continua experimentando, é guardar as roupas que deveriam ter sido usadas numa noite espetacular, a noite espetacular que foi para o brejo.

Depois do fora, você abre as gavetas e vai guardando, com a cabeça baixa, peça por peça. Voltem para a escuridão dos seus casulos, pobres armas sedutoras, armas que não entraram em combate, voltem.

Talvez seja isso que faz com que as pessoas se casem: o cansaço, o absoluto fastio, de ficar à espera de um encontro incerto, de uma transa possível, de um carinho, muitas vezes, de plástico. Então é morno e tranqüilo o alvo do seu desejo estar a dois metros de distância, é agradável a sensação de certeza. Até que –

sempre tem um "até que" – ele deixa de ser o alvo do seu desejo. A segurança morna se torna uma prisão viscosa e pouco atraente.

Fico olhando essas mulheres caras-de-pau na televisão, vendendo cursos para revitalizar o casamento. Qualé! Não existe nada que revitalize o desejo sexual dentro de um casamento, simplesmente porque a paixão foi embora – aquela coisa que fazia a gente passar três dias seguidos na cama.

Nada pode acender a paixão, a não ser a adversidade: se ele estiver do outro lado do oceano, se houver quem se oponha ao seu romance, se houver uma guerra que afaste o gajo dos seus braços, aí, então, com o gás da adversidade, a paixão pode até durar mais do que seis meses.

Não sabia? O prazo de validade da paixão é seis meses, às vezes menos. A de Tristão e Isolda durou mais porque eles tinham uma poção mágica e a adversidade a seu lado: dupla garantia para segurar a onda da paixão instável. Essas mulheres caras-de-pau que não venham com novas posições, fantasias de enfermeira nem um Kama Sutra passo a passo, porque nada disso funciona. A única coisa que funciona é uma pessoa nova, ponto final.

Então você olha para o seu sutiã preto voltando para a gaveta e pensa: "Será que um dia eu vou me apaixonar por alguém e esse alguém vai se apaixonar por mim, ao mesmo tempo? Será que esse milagre vai acontecer de novo comigo?"

Milagre. Andar sobre águas profundas? Multiplicar

pães? Ressuscitar mortos? Curar leprosos? Acalmar tempestades? Qualé! O verdadeiro milagre da humanidade são duas pessoas se apaixonarem uma pela outra ao mesmo tempo! O fato vai contra todas as possibilidades – mas ele acontece, é inegável que sim.

Será que um dia a premiada será você? Será que um dia o sutiã preto não vai mais voltar murcho e cabisbaixo para a gaveta sem ter tido seu fecho quase quebrado por uma ansiosa mão masculina? Quem sabe? Os deuses são caprichosos.

42
Você merece um coxo

Quando tinha lá os seus vinte anos, você leu *As brumas de Avalon*. Leu não, devorou.

Desde aquela época, os quatro volumes rolaram de uma prateleira para outra, de uma casa para outra, sem que você tivesse aberto suas páginas novamente. Agora mesmo, lá estão eles, os quatro livros, empoeirando na mais alta estante da sua sala.

Você apanha o banquinho de madeira na cozinha, sobe com cuidado e estica os braços. Pronto! Aqui estão eles, vertendo poeira e mofo, mas ainda vivos. Bem vivos. Você os limpa com uma flanela seca, depois sapeca um guardanapo de papel umedecido nas capas plásticas. Finalmente, senta-se na poltrona e, vinte anos depois, os observa sobre seu colo.

As brumas de Avalon. A história do Rei Artur e dos Cavaleiros da Távola Redonda contada sob a ótica de quatro mulheres: Igraine, mãe de Artur; Viviane, a grande sacerdotisa de Avalon; Guinevere, a loira mulherzinha de Artur; e, por fim, mas não por último, Morgana, a meia-irmã de Artur, a sucessora de Vivine em Avalon, uma trágica e solitária figura.

Morgana sempre foi sua personagem preferida. Apaixonada por Lancelote que, para seu desencanto, ama a loira mulherzinha de Artur. A última testemunha do tempo das fadas engolido sem misericórdia pelas novas cruzes cristãs. A sacerdotisa poderosa e a mulher absolutamente solitária. Em muitos trechos do livro, você se sentiu na pele de Morgana – e doeu. Ainda dói.

Há uma determinada passagem – passagem que você leu há vinte anos e ainda guarda fresca na memória – na qual Morgana está na estrada, indo para Camelot, acompanhada do aprendiz de Merlim, um mago feio e coxo. Durante a caminhada, uma tempestade se forma e torna-se imperioso escolher um abrigo. Nesse abrigo improvisado à beira da estrada, Morgana, exausta, solitária, seca de afeto, carente do toque de um homem, se entrega ao mago feio e coxo que lhe fazia companhia.

Aquela cena, ainda tão viva na sua lembrança, te atinge como um estilete. Naquela noite sob a chuva, Morgana toma o amor possível, ela aceita aquele que a deseja, nada além de um homenzinho mirrado, feio e coxo. E, lá nos seus vinte anos, algum vaticínio terrível a fez compreender Morgana, como se você também só merecesse da vida uma criatura mirrada, feia e coxa.

Conforme os anos foram passando, a cada frustração romântica, você se lembrava de Morgana e repetia para si mesma: "Como ela, eu só posso ter um coxo, eu mereço um coxo." E essa certeza, por mais estapafúrdia que fosse, sempre lhe soou como verdade absoluta.

Você poderia ter lido *As brumas de Avalon* novamente para, quem sabe, com olhos mais maduros, trazer Morgana para um espaço menos cruel. Talvez você nunca tenha feito isso por medo de, numa releitura, Morgana parecer ainda mais frágil e solitária. Bem, é preciso correr o risco. Depois de vinte anos, menina, você precisa correr o risco e reviver Morgana, precisa trazer à tona sua própria história, pois a sacerdotisa solitária, guardada nos escaninhos da sua mente, se tornou você.

Já entardeceu, é preciso acender um abajur ou dois. Você aciona o interruptor e, sem hesitar, abre o primeiro livro da saga: *A senhora da magia*. Não, não é possível reescrever a história, mas é perfeitamente possível compreendê-la de uma outra forma. Uma forma talvez menos sinistra do que uma noite miserável com um homenzinho coxo.

43
Sua vida amorosa

Seu ex comenta, como quem não quer nada, numa festa da escolinha das crianças, que não está mais namorando. Você hesita em perguntar a razão do rompimento, talvez ele não queira te contar e é um tanto humilhante alguém que foi seu marido – que tinha, tecnicamente, a obrigação de te contar tudo – ter o direito, e exercê-lo, de não querer te contar intimidades.

Pensando bem, se ele não quisesse te contar nada sequer teria mencionado o fim do namoro. Essa não é uma informação relevante para o cuidado das crianças, portanto, se ele te contou isso, pode querer te contar um pouco mais. Então, você arrisca:

– O que que houve?

– Nada de mais, você sabe.

Não, você não sabe.

– Não, eu não sei.

Entre uma canção e um bailado desconexo, ele responde:

– A diferença de idade fez diferença.

– E de quanto era essa diferença?

– Catorze anos, ela tinha catorze anos a menos do que eu.

– Não é tanto assim – você responde e se surpreende com sua magnanimidade.

– É, mas pesou.

De repente, ele estoca:

– E você?

– Eu o quê?

– Como é que anda sua vida amorosa?

Quá! Sua vida amorosa.

Você vai ter coragem de dizer a verdade? Foram nove as suas tentativas até agora.

O primeiro, logo de cara, pediu para que você o amarrasse na cama e batesse nele com um chicote de couro – você picou a mula rapidinho.

O segundo, entre um guaraná gelado e outro, disse, muito entusiasmado, que queria fazer novos amigos, muitos amigos, que queria, de verdade, ter um antro de amigos. Um antro? Você foi embora pretextando muita roupa para passar em casa (a desculpa mais broxante do mundo, que te associa à rotina de anódina dona-de-casa). Antro de amigos é mais do que você pode suportar.

O terceiro ficava conversando com você no MSN, mas encontrar que é bom, nada. Você o encostou na parede: "não fica me enrolando, não, rapaz, vamos nos ver ou parei por aqui". E ele te viu. E você o viu e ficou encantada, com a língua arrastando no chão. E vocês passaram uma noite simplesmente fantástica (um dia de piscina) e, mesmo depois de catorze horas de motel, ele não quis mais sair com você. Por quê? Você nem imagina.

O quarto se interessou e quis ir adiante, mas você não gostou do jeito dele, do jeito que ele mexia as mãos, do jeito que ele contava as coisas, do jeito que ele tomava café, do jeito que ele se vestia, do jeito que ele respirava, do jeito que ele sorria – e não gostar do jeito de alguém é o fim. O fim do que nem começou.

O quinto na hora de escolher um lugar para vocês se encontrarem, sem o menor sinal que o habilitasse a tanto, sugeriu um motel. Para ele, vocês deveriam se conhecer já nus em pêlo – você o mandou plantar batatas no deserto de Chachapoyas.

O sexto te chamou para sair, cancelou em cima da hora, chamou de novo, cancelou de novo, chamou mais uma vez e, quando você achou que o encontro finalmente vingaria, ele mandou um torpedo dizendo que iria se mudar de última hora para a Finlândia. Então tá.

O sétimo conversou, telefonou e marcou encontro num café. Quando você chegou, surpresa: o cara era anão! As fotos do rosto – um rosto proporcional – te enganaram direitinho. Você se esqueceu do politicamente correto e do direito das minorias e deu uma bolsada na cara dele quando ele falou, na maior naturalidade: "E aí, gatinha?"

O oitavo parecia lindo e inteligente, mas ao vivo era dentuço (por isso não havia fotos dele sorrindo) e cuspia gotículas de saliva ao falar. Você não quis nem saber daquele ventilador de cuspe.

O nono cumpriu todo o ritual. Passou no teste do café ao vivo e em cores, passou no teste da cama, quis te ver de novo, mas vivia esquecendo a carteira quando vocês saíam. Você, uma mulher do tipo que divide a conta sempre, foi deixando passar. Um dia, quem esqueceu a carteira foi você – propositalmente – e duas milagrosas notas de cinqüenta apareceram no bolso dele, impedindo que vocês tivessem de passar a noite lavando pratos num restaurante. O cara era um avarento compulsivo. Ele não te ligou mais, nem você.

– Então? Como é que vão os contatos no site? Alguma coisa boa?

Você tenta tirar um cisco dos olhos sem manchar o delineador e responde.

– Não. Nada bom. Nada mesmo.

Ninguém pode dizer que você mentiu.

44
Confessionário

Você sempre achou meio esquizóide o comportamento de certos casais que insistem em contar todas as experiências para o parceiro – experiências presentes e passadas. Do cinema hoje à tarde até aquela noite, remota e perdida no pretérito imperfeito, em que você transou sem camisinha com um estranho; do mau humor crônico do seu chefe a primeira vez em que você jogou fliperama; do beijo roubado na escola até o ex-namorado que insistia em transar a três.

Estranho. Estranhíssimo. É como se, ao casar ou ao ter um relacionamento sério, não houvesse mais espaço para memórias particulares. Mais do que isso: é como se fosse errado, criminoso mesmo, esconder uma agulha na sua mente sem mostrá-la, enferrujada ou brilhante, ao seu companheiro. E aí nascem a dependência, a desconfiança, o ciúme, a perda de privacidade. Daí seu ego se derrete e se mistura ao de outra pessoa, formando uma monstruosa terceira entidade.

Há uma imagem perfeita para isso: lembra daquelas massinhas de modelar da época da escola? Quando a gente pegava uma azul e misturava com outra amarela, o que dava? E uma verde com outra vermelha? O que dava? Dava nada. Dava cinza. As massinhas, quando misturadas, quando sovadas umas nas outras, perdiam a cor original, viravam uma meleca cinzenta. É exatamente isso que acontece com um casal quando ele cisma em levar adiante essa história de "nós dois somos um". Os dois acabam virando uma massa cinza. E dá-lhe engorda, dá-lhe depressão, dá-lhe pânico, dá-lhe enxaqueca e mais todas as doenças somáticas juntas para sustentar essa antinatural perda da individualidade.

Para você, casamento não é, nem nunca foi confessionário e, embora o status público da relação estável suponha uma entrega total, existem experiências que você acredita serem – e continuarão sendo – absolutamente particulares. No entanto, agora você não está mais casada e esse assunto não lhe diz respeito, certo? Errado.

Para que haja um relacionamento equilibrado entre duas pessoas que já foram casadas (casadas uma com a outra), é necessário criar, durante e após a separação, um delicado encaixe, um trabalho contínuo e perseverante, no qual algumas regras serão mantidas e outras modificadas.

Como você já percebeu, depois da separação, começa uma nova cruzada, não rumo à conquista nem ao sangue, mas sim em busca de um oásis possível chamado paz.

E agora você se dá conta de que, da mesma forma que casamento não é confessionário, separação também não é. Manter uma boa relação com seu ex não significa contar tudo o que você anda fazendo e esperar que ele também te encha de detalhes sobre como anda a vida sem você.

Ex-marido é uma entidade específica, à parte de tudo mais.

Ele não pode ser seu amigo? Claro que pode. Mas não um amigo com quem você comenta o quanto seu novo namorado faz bem sexo oral.

Você não pode ser amiga dele? Claro que pode. Mas não do tipo que empresta o ombro para ele chorar o fora que levou de uma colega de trabalho de corpo escultural por quem ele sempre babou.

Assimile a grande verdade pós-separação: você terá mais ciúme dele agora que ele é seu ex do que quando ele era seu marido.

Por quê? Porque agora você não apenas desconfia, mas tem certeza absoluta de que ele está com outras mulheres e isso te fere como lâmina quente estripando um tolete de manteiga.

Para que seu coração se dê conta de que vocês se separaram, seria preciso ensiná-lo a ler advoguês e prender o papel do divórcio nele, com um alfinete. E o alfinete sangra, os cortes pequenos são os que mais doem. Portanto, quanto menos você souber da vida do seu ex, melhor.

Se quando vocês estavam casados já era importante manter a individualidade, um espaço privado, memórias que só a você ou só a ele diziam respeito, é muito mais importante agora. Agora, muito mais.

45
Golda

É domingo. Você está enterrada até as orelhas sob cobertores, TV ligada numa luta de boxe qualquer que te hipnotiza com sua simetria de golpes. Então, o celular toca.

Número desconhecido. "Quem é?" "Sou eu." Ah, você odeia quando a coisa começa assim. Mas ele se identifica logo, conseguiu seu celular com um amigo.

"Lembra de mim?" Flashes de um homem de sobrancelhas loiras acordando, devagar, com um sorriso espontâneo. Se espreguiçando, devagar, como um cão grande. E você adora grandes cães, com muito pêlo, muita saliva, um grunhido rouco que significa "me coça" e uma maneira desajeitada de se jogar em cima de você.

Sim, faz tempo, mas você se lembra dele. E em meia hora de conversa, sim, você gostaria de vê-lo. Sim, gostaria de vê-lo agora. E nesse agora não há ansiedade, nenhuma ansiedade. No meio da conversa, ele pergunta:

– O que você quer?

– Um abraço – você responde.

E é verdade. Você não quer muito mais do que isso. Um abraço e um olhar que não te atravesse, alguém que olhe dentro dos seus olhos e veja você, não o reflexo de si mesmo.

No carro você pensa que todos os homens que passaram pela sua vida ultimamente só retiraram, cada um e todos eles, um naco de sua energia. Então, ao voltar para casa, você se percebe mais triste e mais sozinha e mais vazia e mais seca do que quando havia saído.

Eles lanham seu rosto com a barba malfeita enquanto sugam o que você tem de mais precioso. Os homens te enfraquecem. Por que hoje seria diferente?

Ele te leva para o apartamento dele, te mostra a vista do vigésimo andar e encosta o peito em você. Apenas encosta. O suficiente para o cheiro dele entrar pelas suas narinas e subir direto para sua cabeça como uma longa tragada de baseado. Você poderia dizer a ele, por favor, não encoste seu peito em mim e, por favor, não metabolize seus feromônios tão perto de mim, mas agora é tarde. E, de qualquer maneira, você não diria isso. Você gosta do cheiro dele. E do gosto também.

Uma hora depois, você vai até o banheiro se lavar e tem a sensação de que aquela casa é acolhedora e quente. No corredor, você se agacha em frente a ela: Golda, a cachorra dele. Grande e dourada, pêlos como fibra de ouro grudando na sua calça preta e aqueles redondos, densos e inocentes olhos castanhos.

É ela quem acolhe as pessoas e esquenta a casa. É ela quem se aproxima e é ela quem te lança um olhar de reconhecimento, um olhar que não te atravessa, aquele olhar que você estava procurando. Com curiosidade e sem qualquer defesa: ela é pura doação. Não importa quem você é, se sua barriga é flácida ou se sua garganta segura um choro doído há meses, não importa se sua maquiagem borrou e te deixou com imensas olheiras ou se você está menstruada, ela te acolhe. Só com os olhos ela te acolhe.

O homem te leva para casa e você se sente como Scarlett Johansson no Japão, enquanto Bill Murray dorme no carro e a noite está agradável. Você se sente bem porque pode ficar em silêncio com ele e porque você não deseja nada – talvez os budistas tenham razão: a felicidade é a ausência de desejo.

Então você se lembra dela, dos seus enormes olhos que te devassaram num segundo. Golda. Pensando bem, você gostaria de chorar.

46
Cabocla Mizifio do Passado

Um belo dia, dia desses comuns como qualquer outro, seu ex chega para ver as crianças, senta, aceita um café. Enquanto ele pega um cigarro, você escorrega os olhos involuntariamente para a sua bunda.

Vamos falar claro: seu ex tem a bunda mais linda que você já viu – e apalpou – nesse mundão de Deus. Firme, redondinha, empinada, macia, nem grande demais nem pequena demais: simplesmente perfeita.

Oh, céus! O que é isso? Compostura, mulher! Você rapidamente se recompõe e exorciza qualquer pensamento carnal em relação ao pai dos seus filhos.

Ele abre a porta de vidro da varanda e senta no chão, metade do corpo dentro de casa, metade fora, incluindo aí a metade que segura e fuma o cigarro.

Desde que vocês se separaram, ele tem deixado o cabelo crescer. Ele tem um cabelo sedoso que, agora mais longo, começa a escorrer pelo rosto e lhe deixa, além de mais jovem, muito, muito bonito. Os olhos também estão mais claros hoje, talvez por conta de uma réstia de sol que lhe doura o rosto. A barba por fazer lhe caiu muito bem, acrescentou ao visual um quê de rusticidade provocante. Os brincos na orelha esquerda parecem que já nasceram com ele, tamanha a sintonia com o rosto. Hoje ele veste uma calça de lã cinza chumbo e uma camisa também cinza, num tom mais claro. As roupas sociais com o brinco e a barba e o cabelo comprido formam um mix perfeito de descontração e elegância. Oh, céus, ele está um gato! Mas o problema não é ele estar um gato, mas, sim, você achar que ele está um gato e ter ímpetos de arrastá-lo para a cama! Agora!

Como pode? Depois de tudo, tudo o que vocês passaram juntos e tudo o que vocês passaram para se separar, você olha para seu ex e pensa a mesma coisa que pensou no dia em que o conheceu: aqui está um cara por quem eu realmente me sinto atraída.

Pois é, aconteceu. Acontece com quase todo mundo. Você foi apenas mais uma vítima da Cabocla Mizifio do Passado: essa entidade, quando baixa, faz a pessoa se sentir atraída pelo ex, capaz de esquecer que, como escreveu Sartre, você o conhece bem demais para amá-lo.

Não se desespere: o melhor antídoto para essas horas é retirar do baú algum dia especialmente ruim que vocês tiveram.

Vale tudo: o dia em que ele falou que adoraria morar sozinho, o dia em que você percebeu os olhos dele brilhando por causa de uma certa amiga da época da faculdade, o dia em que ele flagrou os seus olhos brilhando por causa de um certo amigo da época da faculdade.

Vale também mastigar alho cru, vestir um sapato apertado ou enfiar um supositório naquele lugar. Qualquer coisa que te cause desconforto e desvie seu pensamento dos pêlos do peito dele saltando pela abertura da camisa.

Seja lá como for, o importante é resistir. A Cabocla Mizifio do Passado pode ser insistente se você ceder terreno a ela. Força na peruca, mulher!

Antes que a situação se tornasse insustentável, eis a salvação: as crianças sobem do pátio, onde estavam, e se derramam no colo do pai. Que alegria! Elas estão alegres em vê-lo. Ele está alegre em vê-las. E você está alegre por ver a Cabocla Mizifio do Passado pegar suas trouxas alucinógenas e se afastar, devagarinho. Antes que o vulto dela se perca numa distante névoa roxa, você ainda consegue pensar: "E antes que eu me esqueça: o diabo que te carregue!"

47
Uma mulher

Hoje é sexta-feira e você faz algo ousado: marca – em lugares diferentes – um café às sete da noite com um pretendente e às onze com outro.

Algum coelho haveria de sair daquele mato.

O das sete é bonito, mas não te causa qualquer perturbação hormonal. O das onze é menos bonito que o das sete, mas consegue esquentar seus rins o bastante para um motel descompromissado.

Ao voltar para casa, às cinco da manhã, com as mãos ainda cheirando à camisinha, você tenta entender os sentimentos que se misturam dentro de você. É bom ter uma noite sem o menor compromisso com uma pessoa agradável, no entanto, você continuava lamentando não estar vivendo uma relação inteira e apaixonante.

Uma alegria morna e uma frustração de azinhavre brigam no seu peito. Estar com alguém assim, sem muito interesse ou vínculo, não te aquece. Você sabe que, ao chegar em casa, não vai pensar em ninguém, suspirar por ninguém, sonhar com ninguém.

Nisso, um carro avança o sinal vermelho e aparece na sua frente, rápido como um espocar de flash. Você tenta frear, mas é inútil: entra com tudo no carro dele e o prensa contra um poste.

Depois do impacto, você não tem certeza se está viva ou morta, você só sabe que precisa sair do carro, com ou sem corpo.

A porta está emperrada, então você começa a chutá-la. Pode sair pela outra porta, e isso chega a te ocorrer, mas, talvez no afã de manter alguma normalidade, você quer porque quer sair pela mesma porta em que entrou.

A cada chute, a porta cede um pouco e um pouco mais até que um tempo depois você está livre. O rapaz no outro carro, em choque, com as mãos cravadas na direção, não responde quando você pergunta se ele tem seguro – você não tem.

Há, no carro, duas senhoras, igualmente aturdidas. Você chama a polícia. As senhoras começam a falar. Elas – as duas, veja só – estavam indo fazer hemodiálise e o rapaz na direção é o motorista delas.

Você arranja um táxi, põe as duas dentro, manda-as para o hospital. Depois, pega a carteira do rapaz, que, já fora do carro, continua catatônico, e liga para o seguro. Você pede um guincho, escolhe uma oficina perto de casa e acerta o preço avulso para levar também o seu carro para a oficina (eles pensam que a titular do seguro é você, quando, na verdade, é uma das senhoras que você despachou para o hospital).

A polícia chega, eles querem levar os carros para a central e lá fazer o B.O. Você os convence de que o guincho já está chegando e de que será mais prático fazer o B.O. ali mesmo (você fica com o protocolo e depois pega o boletim de ocorrência na central).

Tudo acertado, os carros são tirados do meio da rua e, três horas depois, você consegue, exausta, voltar para casa.

Só quando se deita é que sente as dores (nas costas, nos pulsos, no pescoço e no pé direito). É também nessa hora que você percebe algo extraordinário: em nenhum momento você pensou em chamar um homem para te ajudar.

Você poderia ter chamado seu irmão, seu ex-marido ou, até mesmo, seu cunhado, mas isso simplesmente não te ocorreu. Se tudo aquilo tivesse acontecido seis meses atrás, sua reação teria sido bem outra – você, imediatamente, chamaria um homem para te socorrer. Você teria se sentido incapaz de lidar sozinha com batida, polícia, seguro, motorista atônito e velhinhas precisando fazer hemodiálise.

Todo o doloroso processo da separação começa, afinal, a mostrar seus frutos benfazejos: você não é mais uma menininha assustada que precisa de um homem para não desabar.

Naquela manhã, apesar de toda dolorida, você dorme bem. Dorme mulher, com frustrações e azinhavres, com cheiro de camisinha e gasolina, com café e atitude. Finalmente, uma mulher.

48
Agora chega!

Você desliga o carro – que sua irmã te emprestou, já que o seu foi destruído no acidente – e, mesmo ele estando na garagem do seu prédio, aciona o alarme.

Você pega o elevador, aperta o quinto andar, e puxa a calcinha. Maldita calcinha minúscula de lycra, sempre entrando na bunda. A luz embaciada do hall se acende assim que você põe os pés nele.

Você tranca a porta do apartamento, vai direto ao banheiro e procura o demaquilante. Ao se olhar no espelho você encontra uma mulher silenciosamente furiosa. E não é para menos.

Na última hora, você esteve em pé e sozinha em frente à bilheteria de um cinema de arte. Você já havia passado por todo tipo de experiência no site de relacionamentos, menos esperar por alguém e ele não aparecer.

Não, não foi um engano. Você permaneceu atenta a todos os homens que chegavam e nenhum deles, nem de longe, se parecia com as fotos de Mário, o "Gato Félix 43". Uma hora. Em pé. Sozinha.

Todos os modernosos com óculos esquisitos da cidade passaram por você durante aquela uma hora, todos registraram sua presença ansiosa e solitária com um vago olhar de desprezo. E ele, ele, ele não apareceu.

Pior do que devolver para a gaveta roupas íntimas que seriam usadas num encontro que não saiu da promessa, é tirar a maquiagem que ninguém viu – ninguém além do manobrista do estacionamento e alguns estranhos insignificantes para você.

Um desperdício de produtos do Boticário, de precisão no uso de pincéis e de tempo em frente ao espelho. O viço da sua pele já não é mais o mesmo de quando você tinha vinte e poucos anos e, a cada vez que você esfrega o demaquilante no rosto, tem a sensação de que joga fora mais um naco de precioso colágeno. No quinto chumaço de algodão, você decreta em voz alta: "Agora chega!"

Você não vai mais procurar ninguém. Não porque tenha desistido de se enroscar numa perna cabeluda pensante, não porque tenha aberto mão de ter um namorado legal, mas, sim, porque a voracidade da sua procura não tem deixado espaço para que a vida (inclusive e principalmente a vida amorosa) siga num ritmo espontâneo.

Em outras palavras, você vai desencanar e o que tiver de acontecer irá acontecer. Sim, você dará uma de esotérica e deixará que o universo te guie até alguém que seja bom para você. Porque, discursos xiitas à parte, você não está feliz sozinha.

Você aproxima seu rosto do espelho e examina a vermelhidão produzida pela retirada da maquiagem. Em pouco tempo, você estará pálida como um fantoche. O desespero não tem sido um bom hidratante. Você lava o rosto seguidas vezes com água fria – e depõe as armas.

Sem dúvida, o mundo era mais simples quando você estava casada: você possuía um endereço emocional, você pertencia a alguém, você sabia exatamente o que fazer nas noites de sábado. E agora, depois de tantas decepções, você está simplesmente esgotada.

A sanha de encontrar alguém nada mais é do que um tapa buraco para as feridas da separação que ainda não fecharam. E todo mundo sabe: uma ferida tampada não cicatriza.

Então você vai confiar no acaso, no seu anjo da guarda, em probabilidades matemáticas ou em tudo isso junto. Que seja natural. Simplesmente natural.

Mas será que esse é o tipo de decisão que se toma? Que se impõe a partir do quinto chumaço de algodão com demaquilante?

Você apaga a luz do banheiro, vai até a cozinha e prepara um Nescau gelado. Uma vez na sala, você procura aquele livro que está te esperando há meses.

– Chegou sua hora, amigo – você diz retirando-o da estante. – Vem cá que eu tenho todo o tempo do mundo para você.

E tem mesmo. Mais tempo do que você gostaria.

49
Fio dental

Rotavírus. As portas do inferno foram escancaradas dentro da sua casa: seus filhos estão, há dias, sofrendo as conseqüências desse tal rotavírus. Febre, cólicas intestinais, diarréia e, sobretudo, vômito, muito vômito.

Você já perdeu as contas de quantas vezes lotou a máquina de lavar com toalhas e panos sujos.

Claro que seu ex a está ajudando, você não poderia segurar essa barra sozinha, mesmo porque sua menina passou dois dias internada no hospital infantil com desidratação, enquanto o menino ardia de febre em casa. Mas agora ambos estão bem perto, dormindo, e o silêncio que governa seus quartos é puro alívio.

O cuco canta. Sim, você tem um cuco na sala, herança da sua tia-avó Elvira. São quatro e meia da manhã. Você e seu ex terminam de comer um Miojo.

A luz fraca da sala, o estômago forrado e o sono das crianças te convidam a, finalmente, relaxar um pouco. Você empurra seu prato, tira a caixinha de fio dental de dentro da cesta de pão (onde ela sempre fica) e senta no sofá.

Seu ex a segue, mas, ao sentar-se, algo o espeta. Ele tateia em busca do objeto e o encontra: uma seringa azul, sem agulha, vazia, porém suja de uma substância pastosa transparente.

– O que é esse troço?

Depois do rebuliço dos últimos dias, você precisa de um segundo ou dois para se lembrar.

– Ah, é minha seringa para clareamento dos dentes. Pode jogar fora, está vazia.

Ele levanta as sobrancelhas, surpreso.

– Você está clareando os dentes? Puxa, não sabia.

Houve um tempo em que, se o carro entrasse na reserva, ele saberia; se você queimasse a língua com um café muito quente, ele saberia; se você tivesse uma dor de cabeça no fim da tarde, ele saberia. Agora, não.

Vocês não fazem mais parte da rotina um do outro. Você não sabe que ele tem controlado o colesterol da mesma forma que ele não sabe que você está clareando os dentes.

Estranho e, ao mesmo tempo, natural. Seu ex vai ficando cada vez mais distante da sua vida, mais fora do seu cotidiano, dos seus pensamentos, mas, ao mesmo tempo, é íntimo o bastante para te preparar um Miojo às quatro da manhã.

Enquanto você retira da embalagem um longo pedaço de fio dental, seu ex se levanta, vai até a cozinha, joga a seringa vazia no lixo, e volta. Em outros tempos, ele a deixaria ali mesmo, no braço do sofá. É, as pessoas mudam quando têm de se virar sozinhas.

– Quer? – você diz oferecendo a caixinha da Johnson & Johnson.

– Quero.

Um par de gatos transa em algum telhado distante. Você enrola o fio dental entre seus dedos e se prepara para usá-lo. Antes, porém, comenta:

– Credo, esses gatos parecem crianças gemendo.

– É, é horrível – seu ex diz puxando da caixa uma boa quantidade de fio.

Um ex, com quem você partilhou sonhos e contas a pagar, não se encaixa em nenhuma categoria de amigo, nem de parente, muito menos de conhecido. O ex tem sua própria categoria: ele é mais que um amigo, porém, não mais amante; mais que íntimo, porém, não mais confidente; mais que pai dos seus filhos, porém, não mais parceiro do dia-a-dia.

Então, o que exatamente é um ex?

Os gatos continuam com seus miados guturais. Na sala, há um cheiro estranhamente harmonioso de remédios e macarrão instantâneo. Vocês estão, os dois, às dez para as cinco da manhã, passando fio dental.

Enquanto fazem a limpeza meticulosa sem o menor constrangimento, com as bocas bem escancaradas, vocês esboçam um sorriso cúmplice um para o outro. De uma maneira engraçada, esgarçada e sincera. Ele para você. Você para ele. Lá fora, começa a amanhecer.

Sumário

Este livro foi impresso na Editora JPA Ltda.,
Av. Brasil, 10.600 – Rio de Janeiro – RJ,
para a Editora Rocco Ltda.

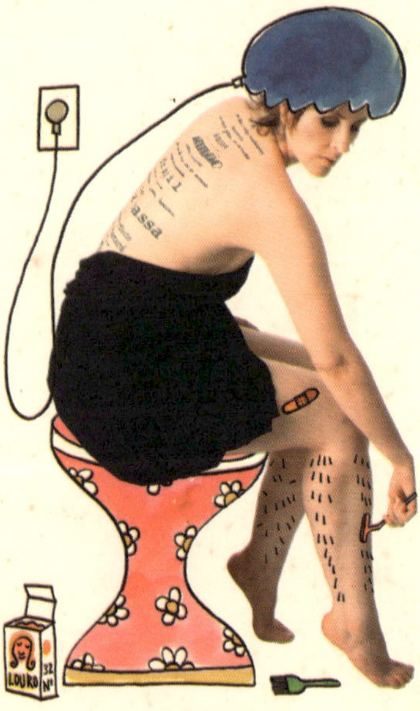
LOURO
32
Nº